SUPERサイエンス

から生まれたすごい科学

名古屋工業大学名誉教授
齋藤勝裕
Saito Katsuhiro

C&R研究所

■本書について

- 本書は、2022年9月時点の情報をもとに執筆しています。

●本書の内容に関するお問い合わせについて

この度はC&R研究所の書籍をお買いあげいただきましてありがとうございます。本書の内容に関するお問い合わせは、「書名」「該当するページ番号」「返信先」を必ず明記の上、C&R研究所のホームページ(https://www.c-r.com/)の右上の「お問い合わせ」をクリックし、専用フォームからお送りいただくか、FAXまたは郵送で次の宛先までお送りください。お電話でのお問い合わせや本書の内容とは直接的に関係のない事柄に関するご質問にはお答えできませんので、あらかじめご了承ください。

〒950-3122　新潟市北区西名目所4083-6
株式会社C&R研究所　編集部
FAX 025-258-2801
「SUPERサイエンス 大失敗から生まれたすごい科学」サポート係

はじめに

科学の歴史は計り知れないほど長い歴史です。しかし、いつ誰が何を発見・発明したかということを歴史でたどることができるようになったのはそれほど古い話ではありません。コペルニクスが「天球の回転について」を書いたのが1542年であり、ニュートンがプリンキピアを書いたのは、つい1687年のことでした。以来、産業革命を契機に膨大な発見発明が繰り返され、科学史には多くの人名と業績が並ぶようになりました。しかしそれらは、その人が最初から意図して発見、発明した業績ばかりではありません。なかには、偶然の産物もありますし、それどころか、とんだ間違いからたどり着いた、あるいは思いついたものもあります。あるいは自伝には、いかにも最初から意図したように、重々しく書いてあるものの、実際には失敗して装置をひっくり返したことから思いついたような発明もあるかもしれません。

本書はそのような間違い、失敗から花開いた科学の成果を紹介する本です。発見、発明の裏にある研究者の実の姿が垣間見える話がたくさん載っています。しかし、ただのエピソード紹介では、後に残る物がありませんので、その発見、発明の意義を理解できる程度の科学的解説を着けました。肩の凝らない、読んで面白い読み物です。コーヒー、あるいはお酒を片手にくつろいだ雰囲気でお楽しみください。

2022年9月

齋藤勝裕

CONTENTS

Chapter 2

失敗から生まれた化学

Chapter 3 失敗から生まれた医学・生化学

Chapter 4 失敗から生まれた発明

CONTENTS

Chapter 5 失敗から生まれた食品

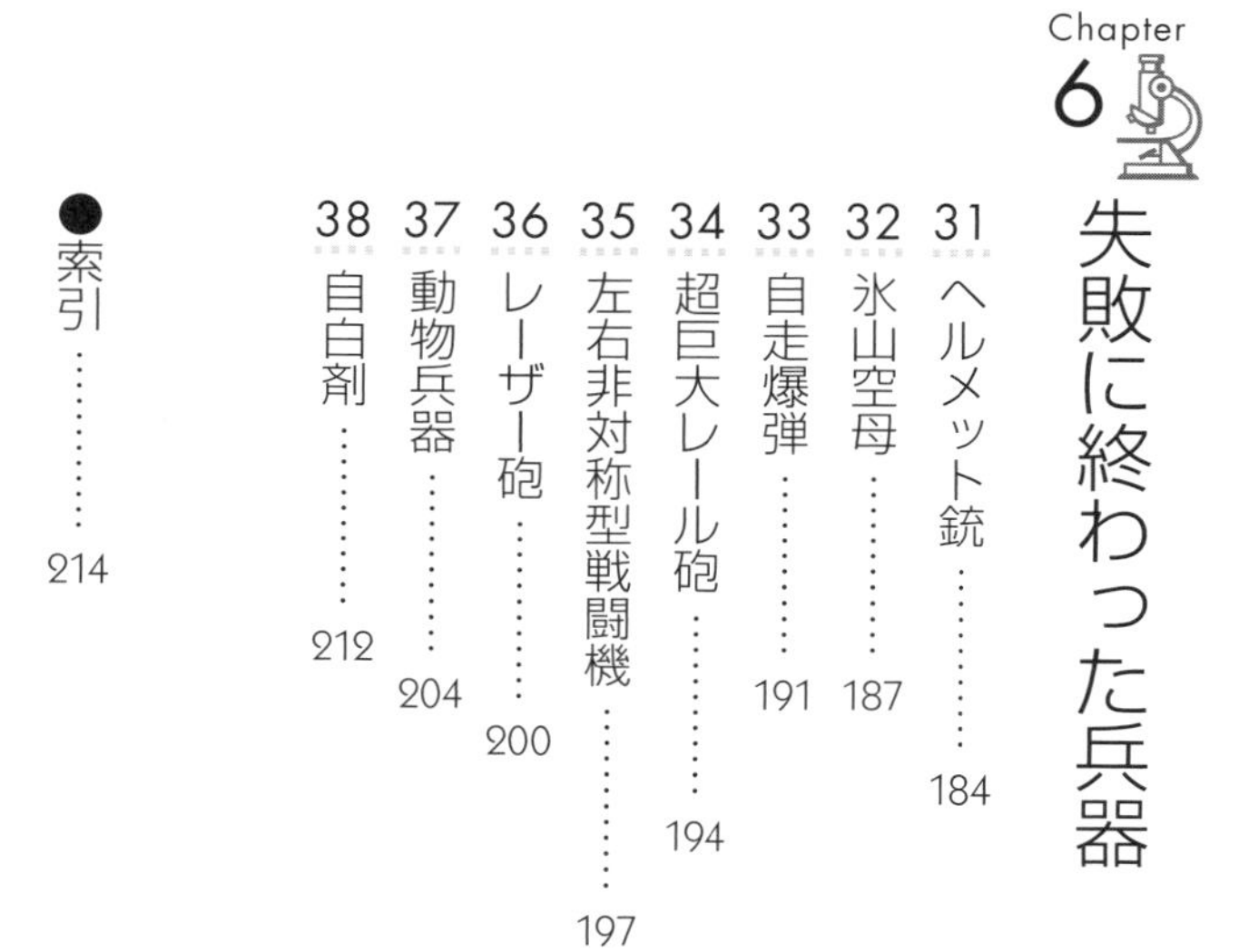

Chapter 6 失敗に終わった兵器

Chapter. 1
失敗から生まれた物理学

伝導性高分子

筆者が学生時代、すなわち、今から半世紀前、「有機物が電気を通す」などと言ったら「顔を洗って出直して来い」と言われたものでした。まして「有機物が磁石に吸い付く」などと言おうものなら真面目な顔で「お前おかしいぞ、疲れているのだ。飲んで寝ろ!」などと言われたものです。

それから半世紀たった現在「電気を通す有機物」も「磁石に吸い付く有機物」も当たり前のこととなりました。そのことに疑義を挟もうものなら「勉強不足」のレッテルを貼られ、「飲んでる暇があったら勉強しろ!」などと言われます。

電流とは?

物質には電気を通す伝導体と、通さない絶縁体があります。多くの金属は伝導体です。ところで、電気、電流とは何でしょう？　電気とは電子の流れです。水が川を流れるのと同じように電子は伝導体（の中）を流れます。この流れを電流というのです。ただし慣習的に、電子がA地点からB地点に移動したときには、電流はBからAに流れたと、いわば反対に言うことになっています。この理由は電子の電荷がマイナスだからなどと言われることもありますが、実のところは慣習的なものであり、今となっては正確な話はわからないようです。

伝導体でも、電気を流しやすいものと流しにくいものがあります。その程度を表すのが伝導度、あるいは電気抵抗であり、伝導度が大きいもの、つまり電気抵抗が小さいものは電気を良く通します。

ある物質の伝導度の大小は、その物質中を「電子が通りやすいかどうか」にかかっています。通りやすければ伝導度は大きく、電気抵抗は小さいということになります。

金属結合

伝導体の代表である金属は、金属原子が金属結合によって結合したものです。金属結合を作るためには、金属原子は自分の持っている電子のうち、外側にいる電子(価電子)を放出してプラスに荷電した金属イオンになります。この時放出された電子を自由電子と言います。

固体金属では金属イオンが結晶となって三次元に渡って整然と積み重なります。そしてその隙間を自由電子がまるで水のように満たします。この水のような電子が動く(流れる)ことによって電流が生じます。

この「水の流れ」を妨げるものは、巨大な金属イオンの運動です。つまり、金属イオンは熱振動しているのです。この振動が激しければ激しいほど水は流れにくくなります。そして熱振動の激しさは絶対温度に比例します。ということで、金属の伝導度は低温になるほど高くなるのです。

●自由電子の移動

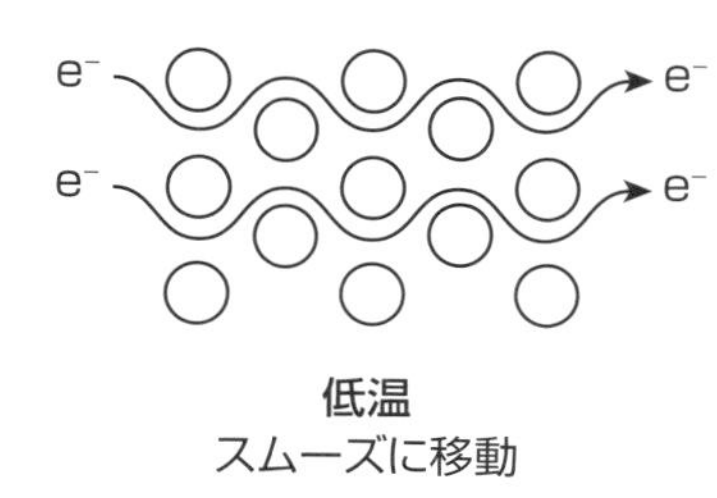

低温
スムーズに移動

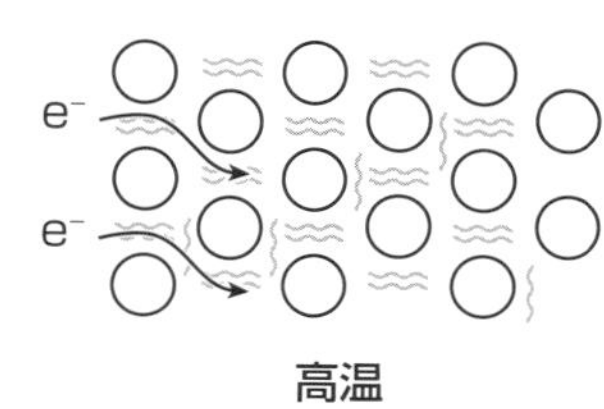

高温
移動困難

有機伝導体

電気の良導体である金属が電気を通すのは、金属中を水のように自由に動き回ることのできる自由電子が存在するからでした。逆に言えば、有機物が電気を通さないのはこの自由電子が存在しないからです。

ということは、「有機物に自由電子を持たせれば有機物も電気を通すようになる」ということになります。そのようなことができるのでしょうか？

ということで多くの化学者が自由電子を持った有機物の合成実験に取り掛かりました。化学者が注目したのは共役化合物という特殊な構造の化合物でした。これは長い炭素鎖からできた化合物ですが、その炭素を繋ぐ結合が特殊なのです。つまり、一重結合と二重結合で交互に結合しているのです。

共役化合物では、二重結合を構成するπ(パイ)電子という特殊な電子が一重結合を飛び越えて、次の二重結合に移動することができます。これを繰り返すと、共役結合の一端に在るπ電子は他方の端に移動することができます。つまり、電子が共役化合物の炭素鎖を川のようにして、その中を移動することができるのです。

これはまさしく自由電子と同じ動きです。問題は川の長さを長くすれば良いのです。

ポリアセチレン

長い分子と言えば高分子です。高分子の代表であるポリエチレンは二重結合を持ったエチレン分子$H_2C=CH_2$が何千個も結合(重合)してできた長い分子です。しかし、ポリエチレンには二重結合がありません。当然共役化合物ではなく、自由電子はありませんから、電気を流すはずはありません。実際ポリエチレンは絶縁体として使用できるほど電気を流さない化合物です。

それでは、長い共役化合物を作るにはどうすれば良いのか？　この問いの答えは化学者なら誰でも思いつきます。二重結合をもったエチレンの代わりに三重結合を持ったア

●ポリエチレンとポリアセチレン

$$nH_2C=CH_2 \longrightarrow H(H_2C-CH_2)(H_2C-CH_2) \cdots\cdots H$$

エチレン　　　　ポリエチレン

$$nHC\equiv CH \longrightarrow H(HC=CH)(CH=CH) \cdots\cdots H$$

アセチレン　　　　ポリアセチレン

セチレンHC≡CHを重合させれば良いのです。つまりポリアセチレンを作れば良いのです。

失敗の成功

多くの化学者がポリアセチレンの合成に取り掛かりました。小さな分子を重合させて長い分子を作る重合反応の反応技術はポリエチレンの合成によって確立されています。その手法を応用すれば良いだけです。難しいはずはありません。

その方法は、ドイツの化学者カール・チーグラーとイタリアの化学者ジュリオ・ナッタが発明したチーグラー・ナッタ触媒と適当な溶媒をフラスコに入れ、そこにアセチレンガスを吹き込めば良いのです。ポリエチレンはこの方法で合成されました。

ところがこの方法では何回試してもポリアセチレンの膜はできません。ポリアセチレンは出来るのですが、膜にならず、粉末になって溶媒に懸濁するので溶液が黒くなってあわだち、その飛沫がフラスコのガラス壁に飛び散って銀色に光るだけです。

筑波大学で研究していた白川秀樹博士の研究室でも同じことが起こっていました。

何回試してもポリアセチレンの膜はできません。そのような時に研究室に韓国からの留学生がやってきました。彼はポリアセチレンの合成実験を研究したいという希望を持っていたので、博士は彼に原料の濃度、反応温度、圧力など、それまでにわかっていたことを全て教えてやりました。

彼は熱心に実験を行っていましたが、あるとき、「実験に失敗しました」と報告に来ました。どんな失敗をしたのだと思いながら、彼の実験台に向かうと、確かにアセチレンの圧力変化は無く、フラスコ内を撹拌するための電磁撹拌機も止まっていました。確かに失敗したようでした。

しかし、フラスコ内を覗いた博士は驚きました。何やら黒い膜ができていたのです。電磁撹拌機が止まったのは、その膜に引っかかって止まっていたのです。この膜を詳しく調べたところ、この黒い膜こそが実験の目的としていたポリアセチレンであることが明らかとなったのでした。

このように、ポリアセチレンの合成実験が成功したのは、留学生が触媒の量を間違えたことにありました。触媒は少量しか使わないのが普通ですからその量はmmol/L(ミリモル・リットル)で表します。ところが学生はmol/L(モル・リットル)計量したのです。mmolとmolでは1000倍の開きがあります。長さで言えば㎜（ミリメートル）とm（メートル）の違いに相当します。

失敗からの発見

話は未だ続きます。このようにして、まさしく本書の表題の通り、失敗からでた成功で合成に成功したポリアセチレンでしたが、最終的な目標である「有機伝導体の合成」には失敗していました。せっかく成功したポリアセチレンでしたが、伝導度を調べると全く伝導性が無いことがわかりました。

つまり、伝導体どころか、絶縁体だったのです。しかし、ここから次の失敗談が始まります。ただし、これはどうも都市伝説のようですが、それにしては良くできているのでご紹介します。そのつもりでお読みください。

化学実験室には色々の実験器具が並んでいます。その中で最も簡単な器具にヨードバスと呼ばれるものがあります。これは直径10㎝、高さ30㎝ほどのガラス製の円筒で、上部に蓋としてガラス板を置きます。円筒の底部には黒褐色のヨードI_2の結晶を敷きます。ヨードは昇華性が高いので結晶は赤い気体となって円筒内を上昇し、器壁に赤黒い結晶となって析出します。

ある日、白川博士の研究室でヨードバスを使って研究した学生がいました。実験が終わり、学生が帰った後に、博士が実験室を点検した所、その学生がヨードバスを片付けずに帰っていました。博士は、「あいつ、片付けるのを忘れたな」そう思って実験台に来ると、ヨードバスの上に蓋のガラス板でなく、黒い膜が置いてあるのを発見しました。

「なんだ?」と思って手に取って見るとポリアセチレンの膜でした。その膜の下にはヨードの気体が当たって、ヨードがうっすらと結晶化していました。

ここからが運命の分かれ目です。そのまま片づければ何事も起こらなかったのですが、博士は何気なくこのポリアセチレン膜の伝導度を計ったら腰を抜かしそうになったと言います。なんと、金属並みの伝導度を示していたのです。有機伝導体成功の瞬間でした。ノーベル賞の瞬間です。

有機伝導体の原理

絶縁体のポリアセチレンにヨードを加えると伝導体になった原理は次のようなものでした。つまり、当初の目論みどおり、ポリアセチレンのπ電子は自由電子としてふるまったのです。ただし、その個数があまりに多かったのです。

この現象は高速道路での渋滞を考えればよくわかります。渋滞は自動車が多すぎるから起こるのです。自動車を間引いて、台数を少なくすれば、残った自動車はスイスイと流れて行きます。ヨードがこの間引く役割を行ってくれたのです。というのは、ヨードは電子を受け入れてマイナスイオンになりやすい性質を持っているからです。

このように、ある物質に少量の不純物を加えることをドーピング、加える不純物をドーパントと言います。ポリアセチレンはヨードをドーパントとしてドーピングすることによって絶縁体から伝導体に豹変したのでした。白川秀樹博士はこの業績によって2000年にノーベル化学賞を授与されました。

超電導体

先に見たように、電子が移動することが電流になるのですから、電子が移動しやすければ伝導度が大きいということになります。それでは、金属中の電子の移動を妨げるものは何でしょう？　それは金属イオンの熱振動です。金属イオンの熱振動が激しければ電子は通りにくくなり、伝導度は小さくなります。熱振動は絶対温度に比例します。つまり、金属の伝導度は温度が低くなるほど大きくなるのです。

超伝導現象

オランダの科学者オネスは低温の研究をしており、ヘリウムを冷やして液体ヘリウム（沸点4・2K（ケルビン）、絶対温度4・2度）を作ることに成功しました。そこで液体ヘリウムを使って色々の金属の電気抵抗と温度の関係を調べました。

その結果、1911年に驚くような発見をしました。それは4・2Kで水銀の電気抵抗が突然消滅するという現象でした。当初オネスは、実験に失敗したと思ったと言います。失敗した結果、試料の電極がショートしたのだ！と思いましたが、調べて見るとそうではありませんでした。現実に水銀の電気抵抗がゼロになっていたのでした。これが超伝導現象を発見した瞬間でした。

オネスは「水銀は新たな状態へと遷移した。この状態の特異な電気的特性から、これを超伝導状態（superconductive state）とでも呼ぼう」と報告に記しています。その後、スズ、鉛などでも超伝導現

●超伝導状態

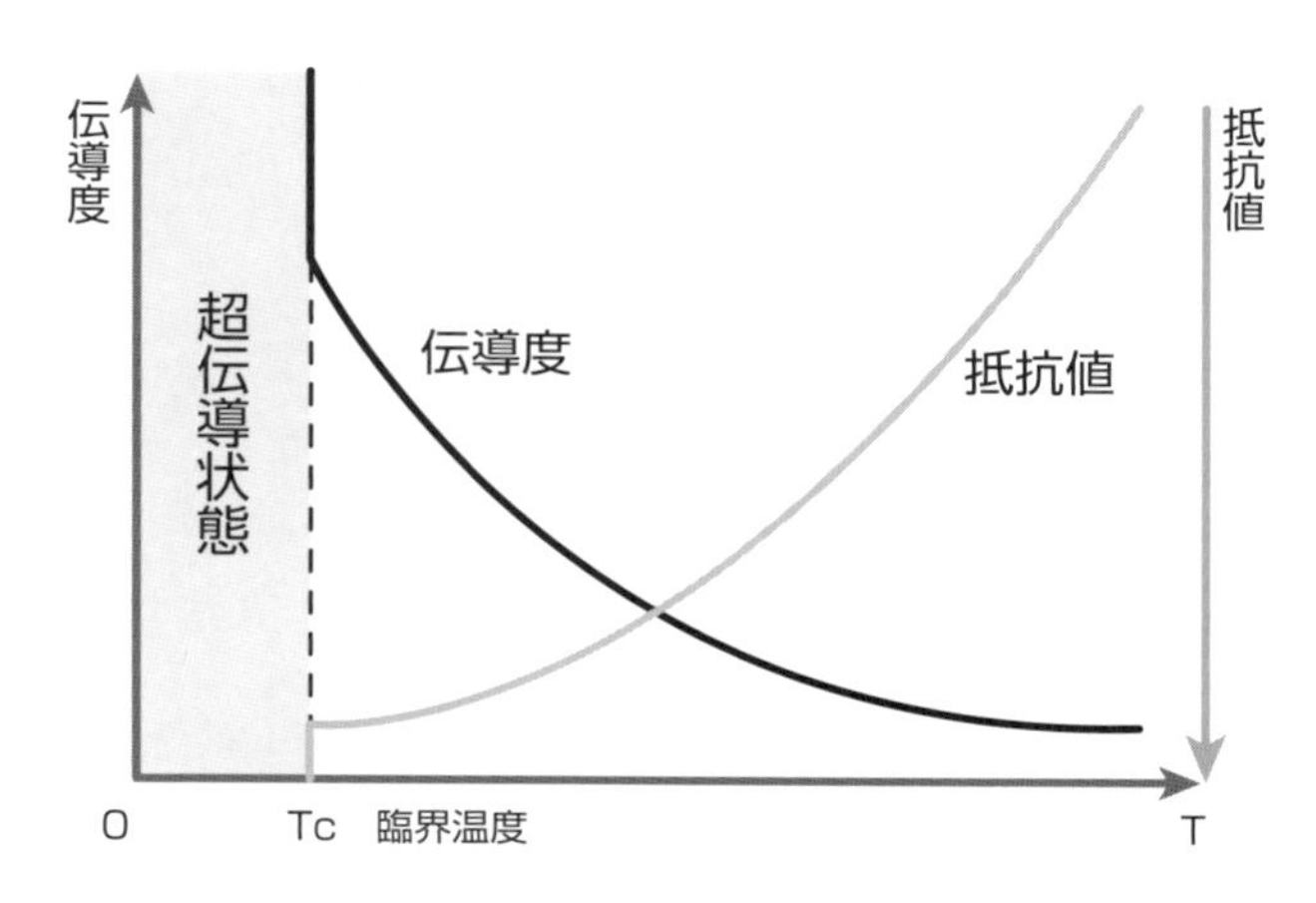

象が起こることを発見しました。超伝導が起こる温度を臨界温度Tcと言います。これは極低温では金属の伝導度は無限大になるということで、これが超伝導現象の発見でした。オネスはこの業績によって1913年にノーベル物理学賞を受賞しました。

電気抵抗が0になるということは、発熱無しにコイルに大電流を流すことができることを意味します。つまり、超強力な電磁石を作ることができるのです。この磁石を特に超伝導磁石と言い、現在では脳の断層写真を撮るMRI、超伝導リニア新幹線の車体を浮かせるなど、各所で大活躍しています。

高温超電導

このように大切な超伝導現象ですが、一つ困ったことがあります。それは超伝導現象は何Kという極低温でしか現れないということです。この低温にするためには液体ヘリウムが必須です。しかし液体ヘリウムは世界でもアメリカ、南アフリカ、ロシアなど限られた国でしか産出されません。ヘリウムそのものは空気中に含まれていますが、そのヘリウムを取り出すためには莫大な電気エネルギーが必要であり、現実的でありません。超伝導を気安く利用するためには臨界温度Tcを上げる必要があります。何とか液体窒素温度77K（マイナス196℃）まで上げることができれば、液体窒素を用いて超伝導を起こすことができます。

そこで、世界中で臨界温度を上げる研究、つまり高温超電導体の開発がまるでレース（競争）のように行われました。人間の競争本能はたいしたものです。この競争のおかげで臨界温度はウナギ昇りに昇り、1993年には水銀－銅酸化物系で135Kという最高臨界温度が観測されました。この系は2013年、10万気圧という高圧では臨界温度が153Kに上昇することが確認されました。さらに2016年には硫化水素H_2Sが203K（マイナス70℃）という高温で超電導になることが発見されました。もはや液体窒素温度など屁でもありません。普通の冷凍庫で達成できる温度で超電導が起こせるのです。もはや、アメリカから高いヘリウムを輸入する必要はないのです。

しかし、残念ながらそうはいきません。水銀－銅酸化物系は、セラミックスの一種であり、金属ではありません。硫化水素は無機物の液体であり、金属ではありません。つまりコイルにすることはできません。つまりコイルにして電磁石にすることはできないのです。

高温超電導体開発

コイルにすることのできる高温超電導体の開発レースの幕が切って落とされました。つまり、鉄を主体とした高温超電導体の開発です。このレースでトップを行ったのが中国グループでした。2008年に鉄－サマリウム系で55Kという臨界温度を達成しました。

ジッとしていられないのは他の研究グループです。我が日本の某大学の研究グループは鉄－テルル系で実験を行いました。しかし残念ながら、超伝導性は示さなかったといいます。ところが不思議なことが起こりました。このような材料は酸化されないように、空気から遮断して保管するのですが、誰かが間違って空気中に放置したのです。数カ月後、これに気付いた時には、時すでに遅しですが、だれかがダメ元と思って測定した所、何と超伝導性が観測されたのです。

原因は誰もわかりません。「何でこういうことが起きたのだ？」「いくら考えてもわからない」「クソッ、こんな時はイッパイやるべ」ということで、ヤケ酒会を開いたかどうかはともかくとして、何かのはずみでこの材料を酒で煮てみたというのです。

その結果、超伝導性の現れ方は、赤ワイン(62・4%)白ワイン(46・8%)、ビール(37・8%)、日本酒(35・8%)。ウイスキー(34・8%)、焼酎(23・1%)の順になったと言います。

この順は何を表すのでしょうか。酔っぱらった学生がただの楽しみにやった戯れと片づければ良いのでしょうか。それとも、この結果から「何かの真実」を見つけるように、「この方向の研究」を続ければ良いのでしょうか。

この「結果」は「結果」です。誰も文句は言えません。しかし、その結果に解釈を付けるのは勝手です。目下の所、お酒に含まれる有機酸の量が注目されているという話があります。それならば、不純物を含む醸造酒(ワイン、日本酒、ビール)が蒸留酒(ウイスキー、焼酎)より成績が良いことがわかります。しかし、金属の本質的な性質に、有機物の「良い頃加減」な性質が影響するというのは、なにやら人間世界の下世話な話が関与するような気もします。この問題については現在も研究中ですので、いずれ、答えが見つかるでしょう。

有機超伝導体

電気を通す有機物が開発され、伝導体を冷却すると超伝導状態が現われることが明らかとなった以上、有機物の超伝導体、有機超伝導体を開発しようと思うのは当然でしょう。

ＴＴＦ－ＴＣＮＱ系

当初開発されたのは二種の有機物、ＴＴＦ誘導体とＴＣＮＱ誘導体の１：１混合物の結晶でした。この二種の化合物は結晶になるとＴＴＦはＴＴＦだけ、ＴＣＮＱはＴＣＮＱだけ

●TTF、TCNQの構造と電流の流れ

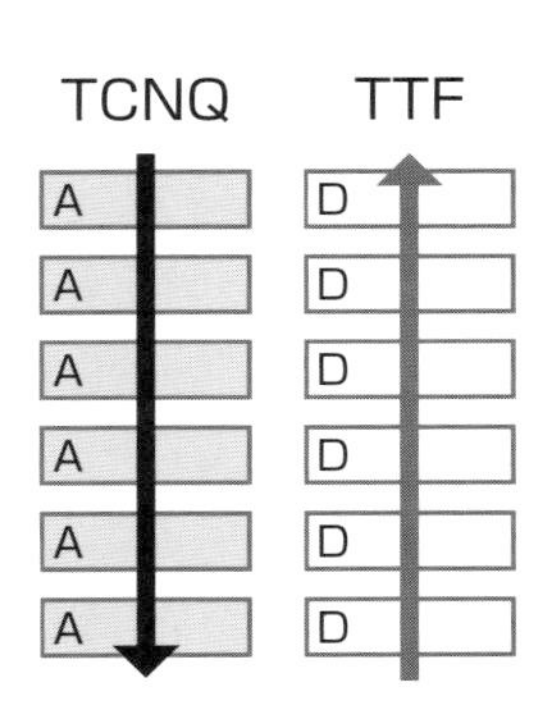

が積み重なります。この積み重なったパイルの間にはπ電子が沢山存在するので、電気は各パイルを貫くように流れます。つまりこの結晶は有機伝導体なのです。

だったらこれを冷却したら超伝導状態になりそうなものです。ということで、実際に冷却しながら伝導度を測定しました。期待の通り、冷やせば冷やすほど伝導度は上昇を続けました。ところがもう一歩で超伝導というところで、伝導度は突如落下して絶縁体になってしまいます。この変化をパイエルス転移と言います。

この変化は伝導度が徐々に下がるなどという穏やかなものではありません。それまで上昇を続けていた伝導度が突如下

●パイエルス転移

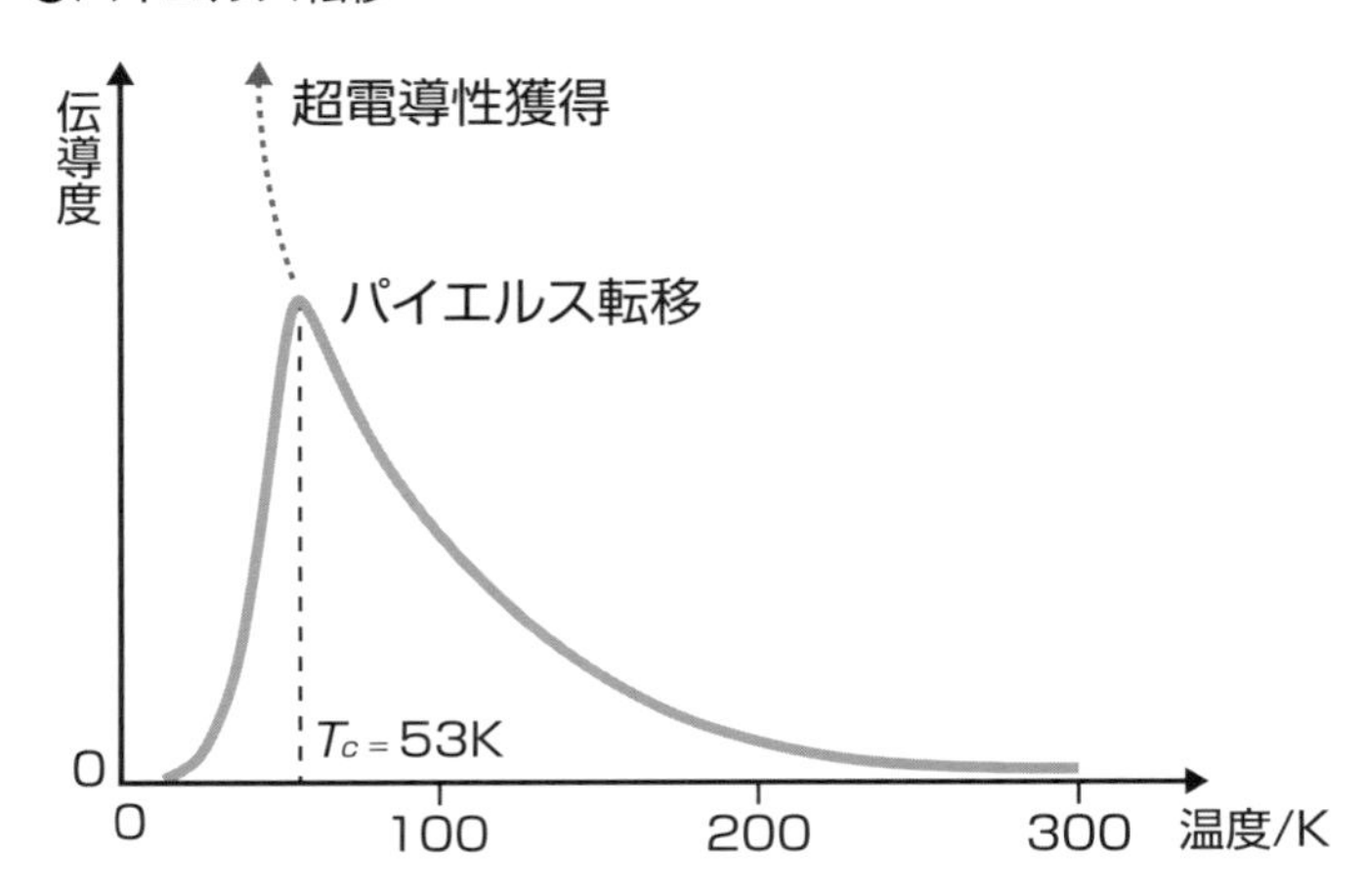

降に転ずるのです。このような変化を不連続変化と言います。自然界の変化は気温の変化のように、徐々に変化するものだけではありません。水が氷に変化する、水が水蒸気に変化するのは不連続です。水と氷の「間の状態」などという状態は存在しません。生物の変化も成長のようななだらかな変化だけではありません。蛹が蝶に変化するのは不連続変化と言って良いでしょう。

研究の結果、TTF－TCNQ系がパイエルス転移を起こす原因は電流の流れの方向が一次元であることがわかりました。つまり、電流がパイルの積み重なった方向だけにしか流れないことが原因だったのです。

この状態を打破するには、各パイルの間にも電流が流れるようにすれば良いのです。これを次元性の改良と言います。この方向に沿って多くの実験が重ねられました。その結果、首尾よく有機超伝導体は完成しました。

しかし、臨界温度は金属の場合と同じように、10K程度を超えることはありませんでした。

有機超伝導体

有機超伝導体の研究がこのような膠着状態にある時、突如現れたのがドイツのベル研究所で働く若いドイツ人の天才化学者、ヘンドリック・シェーンでした。彼はＴＴＦやＴＣＮＱではなく、１９８５年に発見されたばかりの新しい分子C_{60}フラーレンに着目しました。

この分子は60個の炭素だけでできた、サッカーボール状の真球の化合物であり、全ての炭素は一重結合と二重結合で交互に結ばれていました、つまり球状の分子は共役二重結合で覆われているのです。この分子は最初、星間物質として分光学的に存在が予想され、その後レーザーを使って地球上で合成に成功した分子であり、発見者は１９９６年にノーベ

●C_{60}フラーレンの3次元構造

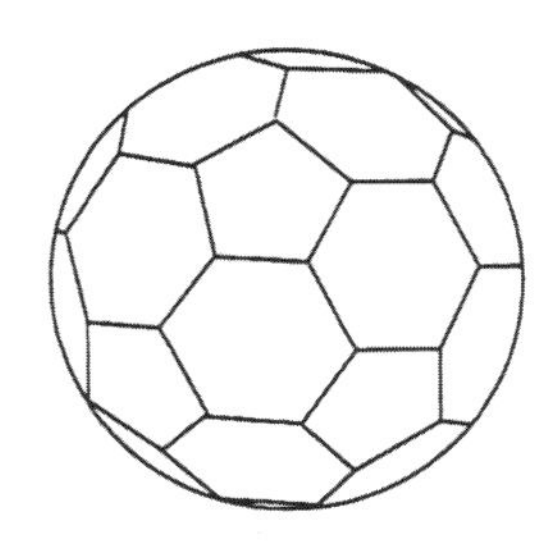

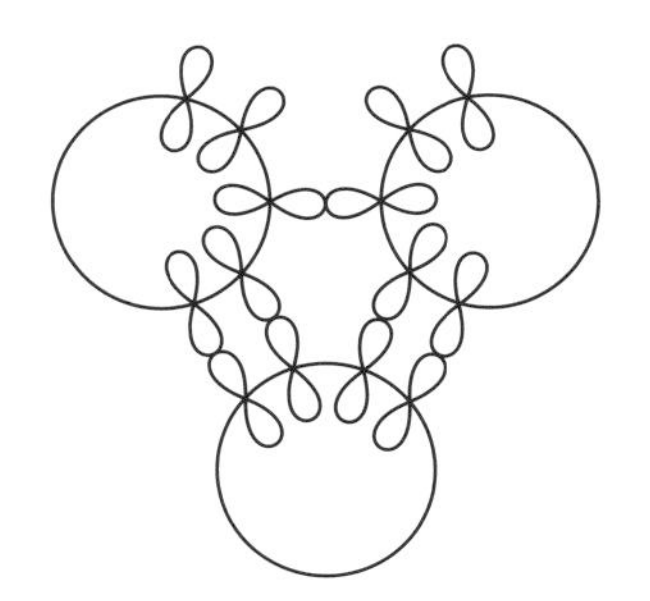

ル賞を受賞しています。

この分子は炭素上に垂直に突き刺さったような電子軌道をもち、この中にπ電子を持っています。したがって、沢山のフラーレン分子が集合したフラーレン結晶では各分子の電子軌道が互いに接触し、三次元の接触を持つことになります。つまり、次元性の向上にはうってつけの分子だったのです。

シェーンは、フラーレンを使って次々と有機超伝導体を作り、その臨界温度を誇らしげに報告していきました。すなわち2000年には臨界温度52Kを発表し、2001年には何と172Kに達したと発表しました。同じく2001年には分子の大きさのトランジスタを開発したとも発表しました。このような業績の積み重ねによってシェーンは超伝導の研究分野でノーベル賞に最も近い研究者と目されるようになりました。

凄すぎる業績

シェーンの業績は常識を超えるほど凄いものでした。しかし、同僚の中にシェーンが実際に実験している所を見たことの無い人もいました。そこでシェーンに実験を見せてくれと頼むと、シェーンは実際の実験はベル研究所ではなく、ドイツの自分の出身大学の研究所で行っていると言って決して見せようとはしませんでした。

また、シェーンの実験を追試しようとした研究者もいましたが、成功することはなかったといいます。これらはシェーンの研究が怪しいものであることを物語るものなのですが、研究者はそうは思わなかたっと言います。それはシェーンの人柄でした。ハンサムで礼儀正しいシェーンは誰にも好印象を与えました。その結果、「こんなに素晴らしい青年が研究不正などやるはずがない。追試が成功しないのは俺の実験技術が拙いからだ」と性善説を地で行くような解釈をしていたのでした。

しかし、このような化けの皮もやがてはがれる日が来ました。ある研究者がシェーンの報告を読んでいる時におかしなことに気が付いたのです。その報告には測定実験の結果、得られた測定グラフのコピーが掲載されていました。何気なく、以前に発表されたやはりシェーンの別のグラフと見比べた所、なんとベースラインがピッタリ一致していたのです。

測定グラフのベースラインは、ただの基準線ではありません。そこには測定に絡む細かい電圧変動、測定条件の微細な揺れなどが全て現われます。それは一般にランダムノイズと言われ、再現性の無いもの、つまり、二度と現れることのない揺れなのです。2枚のグラフでこのランダムノイズが一致するということは、少なくとも片方はコピーを改ざんしたものであることの証明になります。同じようなノイズはシェーンの他の報告でも発見されました。

ベル研究所は直ちに調査委員会を設置し、不正行為が明らかになったシェーンを解雇し、不正が明らかになった報告を撤回しました。これを機会にして、それまであれほど熱を帯びていた有機超伝導体の研究界からは潮が引くように人が去りました。

しかしこれはシェーンのいわば個人的な失敗、不正のせいであり、有機超伝導体の研究が興味の無い研究だということではありません。いつかまた研究者が戻り、有機超伝導体の研究が活発になる日が来ることでしょう。

ダイオード

私たちの目に見えるような大きな世界では、壁に投げた物体が壁を通り抜けることはありません。ところが、電子などの非常に小さな粒子を研究する「量子力学」の世界では壁を粒子が通り抜けることがあり、こうした現象は「トンネル効果」と言われています。私たち人間は、慣れ親しんだ常識の世界に住んでいます。そこではマンションの隣の部屋との間には「越えがたい」障壁があるものと認識し合っています。しかしそんなものは架空の認識であり、上の階で子供が騒げば、下の階で受験勉強に励む家の子供に影響します。

トンネル効果

ところが、極微粒子の運動を研究する量子論の世界では、そのようなことは問題ではなくなるというのです。例えば、テニスボールを壁に打ちつけるとしましょう。すると、ある程度の高さ（h）の壁ならばボールは弾き返えされて戻って来ます。ところが、粒子の大きさがものすごく小さい、すなわち直径が1㎜の千万分の1のような世界では、粒子の動きが私たちの住む世界とは違うのです。なんと、壁にぶつかった粒子は壁の中に「滲み通る」のです。そして、十分な勢い（エネルギー）があれば、壁を突き破り、勢いが無ければ弾き返されます。

この現象を量子力学の世界では「トンネル効果」と言います。トンネル効果は既に1920年代から理論的に説明されていました。1950年代、東京通信工業（現在のソニー）で電子機器の開発に取り組んでいた江崎玲於奈博士は、トンネル効果を電子機器で起こそうと、電気の流れを整えるダイオード中の障壁をできるだけ薄くして電気を流す実験を研究室の研究員を使って繰り返していました。

そんな時に一人の研究員が「スミマセン、失敗しました」と言って1つのデータを持ってきました。それは、これまでの理論では起こり得ない結果を示すデータでした。ところが、そのデータを詳しく解析したところ、なんとトンネル効果が起こったことを証明していたのです。つまり、障壁の幅を10ナノメートル（10ナノメートルは1億分の1メートル)まで薄くしたところで、ついにトンネル効果を起こすことに成功したのでした。

このようにして実験的にトンネル効果を起こすことに成功した功績から、江崎博士は1973年にノーベル物理学賞を受賞しました。また、トンネル効果を確認した実験では、電圧を高めているのにもかかわらず、一定の値を超えると、電流が減少するという「負性抵抗」と呼ばれる現象が起こることも発見しました。これにより画期的な特性を持ったダイオードを開発することができたのでした。このダイオードは「エサキ・ダイオード(トンネルダイオード)」と呼ばれ、さまざまな電子回路に利用されています。

●エサキ・ダイオード(トンネルダイオード)

原子核反応

１９４５年広島と長崎に2発の原子爆弾が投下され、第二次世界大戦は幕を閉じました。この2発の原子爆弾は、同じように原子爆弾と言いながら、原理も爆発物も異なるものでした。原子爆弾の開発には多くの化学者が動員され、巨額の費用が投入されましたが、その開発期間はあまりに短く、またその被害の見通しも甘いものでした。それだけにこの開発の陰には、陰に隠れそうな失敗もありました。

奈良女子大の数学者岡潔先生は、自身の研究領域の数学を「百姓」、物理学を「大工」に例えて「百姓は種を撒いたらあとはオテントサマ任せ。早く育てようと、水をやりすぎても肥しをやりすぎても根腐れを起こして苗は枯れてしまう。しかし大工は、板と釘さえあれば一晩で家を作ってしまう。だから物理屋は原爆を作った」とこのようように言っています。

核分裂

原子は雲のような電子雲と、その中心にある小さく密度の大きな原子核からできています。両者の直径の比はおよそ1万：1、つまり原子直径を1万㎝（100ｍ）とすれば、原子核直径は1㎝、すなわち、東京ドームを2個貼りわせたものを原子とすれば、原子核はピッチャーマウンドに転がるビー玉ほどのものに過ぎません。

原子核は化学反応はしませんが、原子核反応を行います。原子核反応の主なものは、大きな原子核が小さな原子核に壊れる核分裂と、小さな原子核が2個融合して大きな原子核になる核融合反応です。

原子核には高エネルギーで不安定なものと、低エネルギーで安定なものがあります。それは原子核の大きさに依存しており、水素Ｈ（原子量1）のように小さなものも、ウランＵ（原子量238）のように大きなものも共に不安定であり、原子量60程度の鉄の仲間が安定です。大きな原子核が壊れて発生するエネルギーを核分裂エネルギー、小さな原子核が融合するときに発生するエネルギーを核融合エネルギーと言います。原子爆弾や現在の原子力発電で利用しているのは核分裂エネルギーです。

核分裂反応の原料となるウランは、常に中性子を発生しています。この中性子がウランの原子核に衝突すると、ウランは核分裂して莫大なエネルギーと数個の中性子を発生します。この中性子が次の原子核に衝突するとまたエネルギーと中性子を発生します。

このように核分裂反応は代を重ねるごとに指数関数的に拡大し、核爆発になってしまいます。このような反応を枝分かれ連鎖反応と言います。

臨界事故

しかし、原子と原子核の大きさの比は東京ドームとビー玉です。中性子ならもっと小さくなります。このような砂粒のようなものが原子に飛び込んでも、運よく原子核に衝突する確率は0に近いでしょう。ですからこのままでは核爆発は起こりません。

しかし、原子がものすごくたくさんあったらどうなるでしょう。中性子が原子核に衝突する確率は高くなります。

これ以上量が増えたら連鎖反応が起きてしまうという限界の量を「臨界量」と言いま

す。核分裂を起こす物質を臨界量以上に高めることは決してあってはなりません。臨界量を超えたら核分裂物質は勝手に核分裂を誘発し、爆発にはならないまでも大量の中性子を発生し、近くの人は中性子を帯びて命を失うことでしょう。

このような、あってはならない事故が起こったのが東海村臨界事故でした。1999年9月のことでした。原子炉の実験施設で作業員がウランの水溶液を計り取っている時に事故は起こりました。

この作業は、操作を間違えると臨海量を超える可能性があるため、決してそのようなことが起こらないようにと、厳密なマニュアルが設定してありました。ところが同じ作業を何回も繰り返してきた作業員は慣れっこになって、つい面倒くさがり、マニュアルを無視した乱暴な取扱いをしてしまったのです。その結果臨海量を越え、大量の中性子が発生しました。この事故では研究施設外の一般人にも避難勧告が出されました。死亡2名、重症1名、その他に被爆者667名という大きな事故となってしまいました。

原子爆弾時の臨界事故

臨界事故は、日本に投下するための原子爆弾を開発中のアメリカでも起きていました。この計画は「マンハッタン計画」と呼ばれましたが、爆発物は広島に投下された第1号「リトルボーイ」がウランであり、第2号の長崎に投下された「ファットマン」がプルトニウムでした。実はこの他に第3号が用意されていたのです。この爆発物は、日本の降伏により必要がなくなったため、実験に使われることになりました。しかし、爆薬が実際に臨界点に近づいていることを確認するために1945年と1946年にロスアラモス研究所で行われた実験で、誤って一時的に臨界状態になり、それぞれの事故で1名ずつ、計2名の研究者が命を落としています。

原子力船「むつ」事件

第二次世界大戦後、原子力は陸上の原子力発電の他に、船舶に利用されました。原子炉は一度燃料を積みこめば、長期間運行できる上に、排気ガスを出しません。これは航空母艦のような大型戦艦や潜水艦にうってつけの能力です。そのため、当時、原子力船といえば戦艦と限られていました。そのような中にあって日本は軍事国家から平和国家に脱皮したことを世界にアピールするためもあって、戦艦以外の原子力船を建造しました。それが原子力船「むつ」だったのです。

中性子線漏れ事故

1969年に進水した「むつ」は1972年の9月6日にかけて、原子炉へ核燃料が装荷され、1974年に出力上昇試験が太平洋上で開始され、8月28日に初めて臨界に達しました。ところがその直後の9月1日、試験航行中に原子炉上部の遮蔽リングで、主として高速中性子が漏れ出るという「放射線漏れ」が発生しました。

この事故は、その一部始終がライブで放映されるという、まさしく劇場型の事故としてテレビで放映され、日本中で視聴者がテレビにくぎ付けになりました。

横浜沖の太平洋上で漂う「むつ」の甲板には原子炉から危険な中性子線が漏れ続けています。アナウンサーが告げました「皆様、目下『むつ』の船内では大量のご飯が炊かれています。」この時私は下宿のおじさんとテレビを見ていました。「ご飯を炊いてどうするんでしょうね？」「腹が減っては戦ができないということでないんですか？」また、アナウンサーが告げます。「目下、『むつ』の船内では大量のオニギリが作られている模様です。」「おにぎりを食べるんですか？ノンビリしてますね」「急がば回れということでないですか？」どうもオニギリの目的がハッキリしません。そのうち、アナウンサーがまた訳のわからないことを告げます。「『むつ』の船内では腕に自信のある船員の募集を行っています。」「ん？ん？」しかありません。

甲板では中性子線漏れ。それに対し艦内ではオニギリを前に腕に自信のある船員の募集。何のことでしょう？

オニギリと中性子

やがて事情が明らかになりました。原子炉の接合部に漏れがあったか何かして、その隙間から中性子が漏れだしたのです。その応急対策として技術陣が考えたのが、隙間に中性子吸収作用のあるヨウ素とかハフニウムを詰めれば良い。しかし、漏洩個所は危険で近づくことはできない。そこで考えたのが中性子吸収材の炊き込みご飯を作り、それをオニギリボールにして、投球コントロールに自信のある船員に漏えい個所めがけて投げつけてもらうということだったのです。

考えてみれば巧みな対処法なのでしょうが、そのあまりにプリミティブな方法と、原子炉とオニギリという、月とスッポン程の開きといい、空いた口が塞がらないという思いをしたのを覚えています。

何はともあれ、この方法が功を奏して中性子漏れは止まりましたが、可哀そうなのは「むつ」です。朝には意気揚々と出港したのに、夜には飯粒だらけになって洋上をよたよたと漂っているのです。こんなみすぼらしい船を引き受けてくれる港があるでしょうか。ということで、「むつ」は引き受け港が無いまま洋上を一カ月余り漂泊し、

10月半ばにようやく停泊することができました。

これを機に、日本の原子力船建設の声は立ち消えとなり、現在に至るまで、原子力船は建設されたことがありません。「むつ」は原子炉を撤去し、普通のエンジンを積んで「海洋研究船みらい」として第二の人生を歩んでいます。

●原子炉撤去後の原子力船むつ（海洋研究船みらい）

Chapter.2 失敗から生まれた化学

錬金術

人類は生まれた瞬間から「宇宙は何からできているのだろう?」と考えていたのではないでしょうか? 昼に空を見上げれば青い空が邪魔をして水滴の塊の雲と太陽と新月の月くらいしか見えません。しかし、夜になると星が輝きを増し、宇宙の端まで見渡せるような気がします。それによると、宇宙は星という物体によってできているように見えます。このような考えを唯物論と言います。現代科学は唯物論の上に成立していると考えて良いでしょう。

唯物論と観念論

ところが最近、唯物論に影がさしてきました。現代理論によれば宇宙の70%はダークエネルギーというエネルギーによってできていると言います。残りの25%はダークマターというものであり、普通の物質は5％に過ぎないというのです。ダークエネルギーもダークマターも手に取ることはもちろん、見ることも、観測機器で観測することもできないと言います。そのようなものがなぜ存在すると言えるのか？と聞いても、存在しなければ宇宙のエネルギー関係が説明できないからだと言います。

これは唯物論を否定する考えではないでしょうか。唯物論は観測できるものだけが存在するという前提の下で進歩して来ました。それが観測できないものも存在するのだと言われたら、精神や魂も存在するのかということになってしまいます。

実は、宇宙は物質からできているのか、それとも観念からできているのかという論争は、人類の歴史と共に誕生したもののようです。そして、昔は観念論のほうが優勢だったようなのです。宇宙は「地水火風」からできているなどという説は観念論としか言いようがありません。「陰陽五行説」などは観念論の極致でしょう。古代ギリシアの原子論も、原子論とはいうものの、現代の原子論とはまるで違うものです。彼らに原子という物質の概念は無かったのではないでしょうか？

彼らは原子というイデー（概念）が融合してより高次のイデーに昇華するというようなイメージだったのではないでしょうか？

賢者の石

錬金術というと、鉛や鉄のような安価な卑金属を金や銀のような高価な貴金属に変える技術と思いがちです。たしかにそのような面もありますが、真面目な錬金術師たちが真剣に追い求めたのは「賢者の石」と呼ばれる石でした。この石はそれを持つ人の人格を高潔にし、優れた人間に導いてくれる石だと言います。

また、「エリクサー」という液体もありました。エリクサーは人間の本質を高める働きがあると同時に、あらゆる病気を治す効果もある液体なのだそうです。このような石や液体を探し求めて求道的な活動をするのが正しい錬金術師なのです。そして、このような石や液体を作る途中で派生的に発達する技術が卑金属を金属に変える、いわゆる詐欺まがいの錬金術になるのです。従って、錬金術の本質は観念論だということができます。あるいは哲学と言っても良いかもしれません。このような観念論が唯物論の衣を着ていたことが、中世科学技術の進展が素直に伸びなかったことの原因の一つでしょう。

とはいうものの、このような本質的な間違いの中にあっても、中世錬金術は科学にとって重要な貢献をしてくれました。ビーカーやシャーレ等のガラス製実験器具は錬金術師たちの発明品です。また塩酸、硝酸などの酸、あるいはアルカリなどは錬金術師たちが発見してくれたものです。18世紀産業革命を迎えて近代科学があのような急激な成長を成し遂げることができたのは錬金術の下地があったからに他なりません。

錬金術師たちの貢献

錬金術には現代の化学に通じる技術的な部分があります。彼らは色々な実験器具を作りましたが、中でも有名なのが「アランビック」と呼ばれる蒸留器です。これには何種類かありますが、そのうちのいくつかは江戸時代の日本にも伝わり、粋人が酒席で日本酒を蒸留して焼酎を作って客に饗して喜ばれたということです。

このアランビック蒸留器は天然物化学の発展に

●アランビック

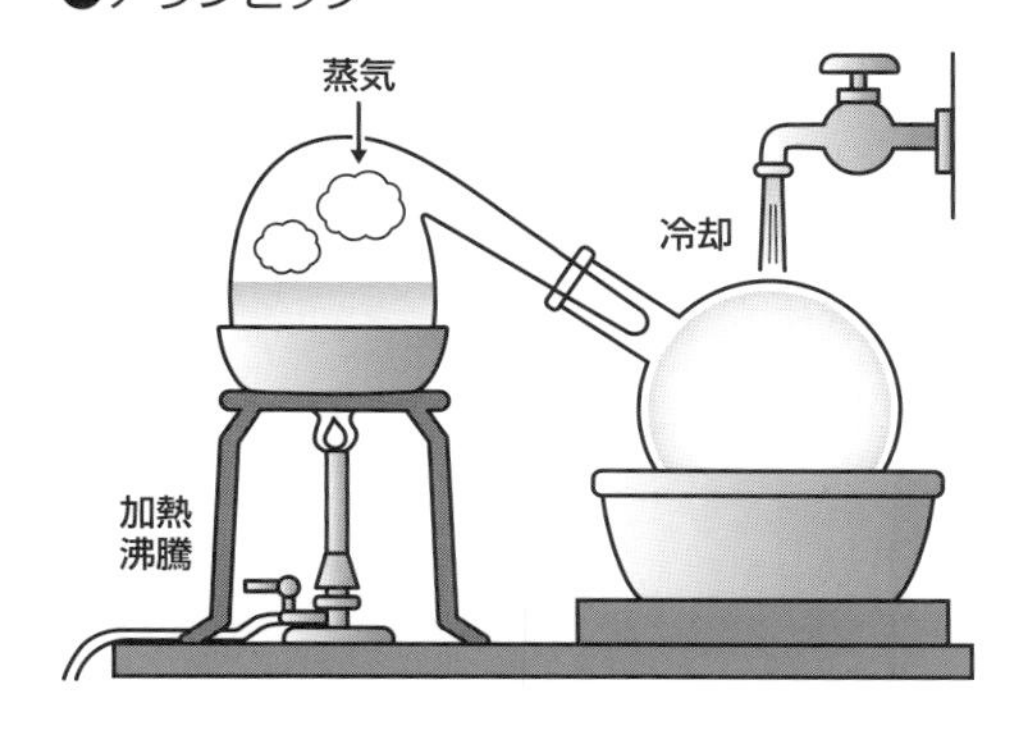

大きな道を開きました。蒸留器による高純度アルコールの精製、さらにそれを用いた天然物からの成分単離は化学分析、化学工業への道を開きました。また緑礬（りょくばん）や明礬（みょうばん）などの硫酸塩鉱物を乾留して硫酸を得た技術や硫酸と食塩を混合して塩酸を得、塩酸と硝酸を混合して王水を得たのも蒸留の技術があったからのことと言えます。

　錬金術師の功績として、錬金術とは無関係に思える西洋陶磁器の出現と発展があります。18世紀ヨーロッパでは東洋製の陶磁器が、現在では想像もつかないほど珍重されました。王侯、貴族、資産家たちは自分の邸宅の飾り棚、机、暖炉、棚、壁、至る所に東洋製の陶磁器を飾り、自慢し合っていました。しかし当時の陶磁器は中国・日本から輸入したものばかりであり、非常に高価なものでした。それをヨーロッパで生産する方法を発見したのが錬金術師だったのです。ザクセン選帝侯フリードリヒ・アウグスト1世が錬金

●硫酸

$KAl(SO_4)_3$(明礬) $+ 3H_2O \rightarrow$
$KOH + Al(OH)_3 + H_2SO_4$(硫酸)

●王水

$H_2SO_4 + 2NaCl$(食塩)$\rightarrow$
$2HNO_3$(硝酸) $+ Na_2SO_4$
塩酸 ＋ 硝酸 → 王水(混合物)

術師ヨハン・フリードリッヒ・ベトガーに東洋陶磁器の研究と製造を命じたのです。命を受けたベトガーは研究を続けた結果、ついに1709年に東洋陶磁に勝るとも劣らない白磁の製造に成功したのです。これがマイセン陶磁器の始まりでした。

錬金術から化学へ

現代人の視点から見れば、卑金属を金に変性しようとする錬金術師の試みは実現するはずの無い徒労として否定されます。しかし、歴史を通してみれば、錬金術は古代ギリシアの学問を応用したものであり、しかも、単に金属という物体の変遷を扱うもの以上に、人間の昇華を志す高邁な目的を持った哲学的学問の一部でした。

錬金術師たちは、俗にイメージされるような、魔法使いやマッドサイエンティストのような身なり、生活をしていた人ばかりではありません。他の職業を持ちながら錬金術の研究も行うといった人物も多く存在していました。例えば、万有引力の発見で知られるニュートンも錬金術に深く関わり膨大な文献を残した一人です。

最近、錬金術的世界観の再評価が行われているのは喜ばしいことといえるでしょう。

爆薬の発明

爆薬の発明は古代中国で行われたものと言われています。爆薬の原理はいろいろありますが、最もわかりやすいのは「高速で激しく行われる燃焼」というものでしょう。

黒色火薬

古代の爆薬は黒色火薬でした。これは炭の粉（炭素C）、イオウS、それと硝石（硝酸カリウムKNO_3）を混ぜ合わせたものです。炭の粉で色が黒いことから黒色火薬と言われました。

これら原料のうち、炭素とイオウは燃料です。しかし、この燃料を高速で燃やすためには酸素の供給を空気からの自然供給に頼っていただけでは不十分です。人為的に酸素を供給する必要があります。それが硝石です。硝石には一分子中に3個の酸素原子があります。これが燃焼に使われるのです。このような物質を一般に助燃剤と言います。

黒色火薬は古代中国で発明されて以来、近代戦争まで銃火薬として使われ、現在も花火の打ち上げ火薬として使われているのですから、1000年以上愛用されてきた火薬ということになります。

硝酸カリウムは地中から鉱石として得ることもできますが、あまり量が多くないようで、昔から人為的に作っていました。その作り方が大変です。トイレの床に大量の藁を敷き、兵士全員がそこで小便をします。何日間か経つと小便の尿素が土中の硝酸菌によって酸化されて硝酸になります。十分に小便が滲み渡ったところで藁を大鍋に入れて煮ます。すると硝酸HNO_3と藁の中のカリウムKが反応して硝酸カリウムの結晶となって沈殿するのです。

この作業の臭さと言ったら、泣きたくなるようなものだったのではないでしょうか。ブルボン王朝ではこの役をする官吏には特別給料が払われていたと言います。このように涙ながらに作った硝石ですから、それを使った黒色火薬は貴重品です。戦争が始まると勢いよくドンパチと鉄砲を打ち合いますが、直に火薬切れになります。そうなったら戦争終結、後は停戦協定で外交の出番となります。ですから、バカバカしく大掛かりな戦争や長期戦は、そもそも不可能だったのです。

ハーバー・ボッシュ法

この戦争を一変させたのが、かの有名なハーバー・ボッシュ法でした。ハーバー・ボッシュ法というのは20世紀初頭に二人のドイツ人フリッツ・ハーバーとカール・ボッシュが発明したアンモニア合成法です。

植物には三大栄養素というものがあります。植物体を育てる窒素N、根を育てるカリウムK、花や実を育てるリンPです。窒素は空気中に無尽蔵にありますが、マメ科等の特殊な植物を除いては、気体の窒素を肥料として利用することはできません。水に溶ける化学物質に換えてやらなければなりません。

ハーバー・ボッシュ法は空中窒素N_2と、水の電気分解で得た水素ガスH_2を高温高圧で反応させて一挙にアンモニアNH_3を作る方法です。アンモニアができれば硝酸を作るのは簡単です。硝酸とカリウムを反応させれば硝石ができますが、硝石は窒素とカリウムを含んだ立派な化学肥料です。硝酸とアンモニアを反応させれば硝酸アンモニウムNH_4NO_3となりますが、これは一分子中に窒素原子を2個も含んだ立派な化学肥料です。ということで、ハーバーとボッシュは「空気からパンを作った男」という賛辞と共にノーベル賞を受賞しました。

無尽蔵な火薬製造

ところが、ハーバー・ボッシュ法を使えば、臭い思いをしなくとも、硝石をいくらでも作ることができます。これは大規模戦争を可能にします。第一次世界大戦でドイツ軍が使った火薬の多くはハーバー・ボッシュ法で作ったものと言われます。この頃、黒色火薬に代わる新しい火薬が相次いで発明されました。それは綿火薬（ニトロセルロース）、TNT（トリニトロトルエン）、ニトログリセリンです。

綿火薬は無煙火薬ともいわれ、爆発する時にあまり煙を出しません。ですから、戦場が煙で覆われることなく、戦況を視認することができます。黒色火薬で打ち上げる花火は煙で隠れて肝心の花火が見えにくくなるのは経験の通りです。

TNTは黄色の粉末ですが、爆発力が大きく、弾丸に詰める時に加熱して液体にすることができるので扱いに便利です。一方、ニトログリセリンは重い液体ですが、爆発力が大きい上に不安定で、床に瓶を落とそうものなら、落とした本人もろとも吹っ飛んでしまうという危険物です。このような危険物は戦場でも使い道がありません。戦場に運ぶ途中で爆発して味方が吹っ飛んでしまいます。

失敗から生まれたダイナマイト

ところが、このニトログリセリンの液体を誰かが珪藻土という太古の微生物の化石からできた土の上にこぼしたのです。爆発か！と皆が目を瞑りましたが爆発は起こりません。ニトログリセリンは何事も無かったように

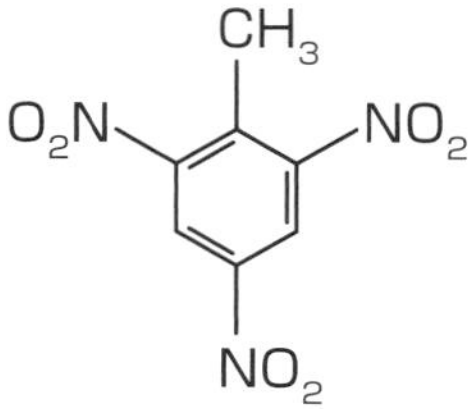

●TNT、ニトログリセリン

CH_3
O_2N NO_2
NO_2

TNT

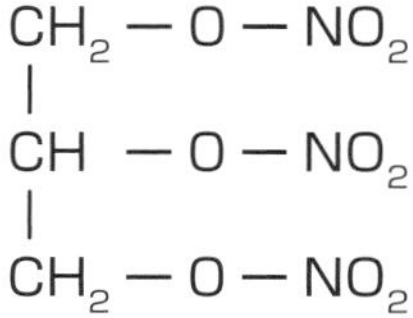

$CH_2 - O - NO_2$
$CH - O - NO_2$
$CH_2 - O - NO_2$

ニトログリセリン

珪藻土にしみ込んでいきます。これがダイナマイトの発明に繋がりました。珪藻土にしみ込んだダイナマイトは安定で、落とそうと叩こうと爆発することはありませんが、信管を使うと元のニトログリセリンの爆発力で爆発します。戦争に使われたＴＮＴに対してダイナマイトは主に土木工事などの民生用に使われました。

ちょうどこの頃、困っていたのがパナマ運河の掘削工事でした。１８６９年に開通した地中海と紅海を結ぶスエズ運河によって便利さを満喫した世界は、次には太平洋と大西洋を結ぶパナマ運河の開通を待ち望んでいました。工事はスエズ運河を完成させた技師レセップスに任されましたが、レセップスを待ち受けていたのは熱帯ジャングルの病魔でした。

当時の掘削技術は人力による人海戦術でした。大勢の工夫を雇って力に任せて山を削っていくのです。気候温暖のスエズでは、この方法で成功しましたが、パナマでは黄熱病という伝染病が蔓延していました。工夫は次々と黄熱病に倒れ、工事は一向に捗りません。日本人医師野口英世が黄熱病を研究したのは、このような背景があったのです。

工事主任は既にレセップスから数代代わっていましたが、誰しもが、パナマ運河は不可能かとさじを投げかけた時に飛び込んできたのがダイナマイト完成の報告です。パナマ運河はダイナマイトによって1914年に完成したのでした。

ダイナマイトがノーベル賞受賞

ダイナマイトは多くの公共土木工事に大量に使われ、発明者のアルフレッド・ノーベルに莫大な収入をもたらしました。彼はそれを用いてノーベル財団を設立し、その果実を運営してノーベル賞を設立することにしました。1901年のことでした。

第一回のノーベル物理学者は、X線を発見したレントゲン、第一回ノーベル化学賞は化学熱力学に功績のあったファント・ホッフに与えられました。

その頃、ノーベルのダイナマイト製造工場ではある噂が立っていました。それは、工場では狭心症の発作が起きないと

●アルフレッド・ノーベル

いうのです。狭心症の持病を持つ工員がおり、彼は家では時折発作を起こして苦しむのですが、日中、工場にいる間は発作が起きたことは無いと言います。その様なことが噂となってやがてダイナマイトの原料であるニトログリセリンに狭心症の発作を和らげる働きのあることがわかりました。そこで狭心症の持病を持つ人は首に下げたロケットの中にニトログリセリンを錠剤にしたものを入れ、発作が起きたらそれをなめて発作を鎮めることが一般的となりました。

ニトログリセリンのこの働きのメカニズムが明らかになったのは20世紀の終わりでした。ルイ・イグナロ、ロバート・ファーチゴット、フェリド・ムラドの3人の研究者は、体内に入ったニトログリセリンが分解して生じた酸化窒素NOが血管を拡張することを発見したのです。3人はこの功績によって1998年にノーベル医学生理学賞を受賞しました。この授賞はノーベル賞設立後ほぼ100年後に、ノーベル賞の生みの親ともいうべきニトログリセリンの研究にノーベル賞が授賞されたということで話題になりました。

現代の民生用爆薬

ハーバー・ボッシュ法によって大量の化学肥料ができるようになってから、世界中の湾岸倉庫、あるいは貨物船で大爆発事故が起きるようになりました。中でも有名なのは、1921年9月にドイツのオッパウにある化学工場で硝安と硫酸アンモニウム(硫安)の混合物の吸湿固化したものを粉砕するために、ダイナマイトにより爆破したところ、4500トンが爆発し、死者・行方不明者約700名を出した大事故です。この工場では以前にも同様の操作を行ったことがあったと言いますが、その時は何事も無かったと

●オッパウの大爆発

いいます。このときだけ突如大爆発が起こったと言います。

そのほかにも1947年にはアメリカ、テキサス州の貨物船船倉の硝安の爆発で死者・行方不明者576名の大爆発事故、2001年にはフランス、トゥールーズの肥料工場で死者31名の爆発、2015年には中国、天津の港湾コンテナ倉庫で死者165名、負傷者798名の大爆発事故が起きています。

このようなことから、硝安の爆薬としての能力が注目され、現代では民生用の爆薬は硝安とある種の燃料を混合した「アンホ爆薬」がダイナマイトを抑えて主流となっています。これは軍事用のプラスチック爆薬と同じで、現場で自由に成形することができ、不要となったら燃やして廃棄することができるという優れものです。

近年問題になったのは、自動車の衝突安全機能のエアバッグです。事故が起きたら瞬時に膨らむ必要のあるエアバッグの膨張には爆薬の瞬発力が用いられています。ここにも硝安が用いられていたと言います。硝安は結晶状態では安定ですが、温度変化があると結晶形が崩れ、安定性が損なわれることがあると言われています。それに対する処置が不充分だったのかもしれません。爆薬は危険ですが、現代社会では欠かせないものです。安定で安全な爆薬の開発を望みたいものです。

人工甘味料

甘いものは人の心をなだめ、幸福感で満たしてくれます。私たちは甘いものというと砂糖を思い出しますが、砂糖の無かった昔、何から採っていたのでしょうか？心配することは無いようです。甘いものは砂糖だけではありません。甘柿、干し柿等の各種果物、イモ類、麦や米等の穀物から作る各種の飴類、あるいはアマチャに代表されるある種の植物の煎じ汁など、甘いものは天然に豊富にあります。蜂蜜だってあります。

1000年以上も前の平安時代、清少納言は「枕草子」のなかで、美味しいものは「金属製の器に入れた氷にアマズラの汁を掛けたもの」と言っています。現代のかき氷に匹敵するものでしょう。「金属製の器」と器を指定している所が清少納言らしいところといえます。

サッカリン

現代の私たちは砂糖以上に甘いものというより、砂糖の何百倍も甘いものをたくさん知っています。それが人工甘味料です。自動販売機で飲み物を買ったら、成分表を見てください。アスパルテーム、アセスルファムK、スクラロース、聞きなれないカタカナ名が並んでいます。これらはみな人工的に化学合成して作った、一般に合成甘味料と言われるものです。

合成甘味料と言えばまず出てくるのはサッカリンではないでしょうか。最近はあまり使われないので、若い方はご存知ないかもしれませんが、年配の方にとって人工甘味料と言えばサッカリンだったはずです。

サッカリンが誕生したのは1878年ですから、今から1世紀半も前の話になります。サッカリンはアメリカ、ジョンズ・ホプキンス大学の研究者であるコンスタンチン・

●サッカリン

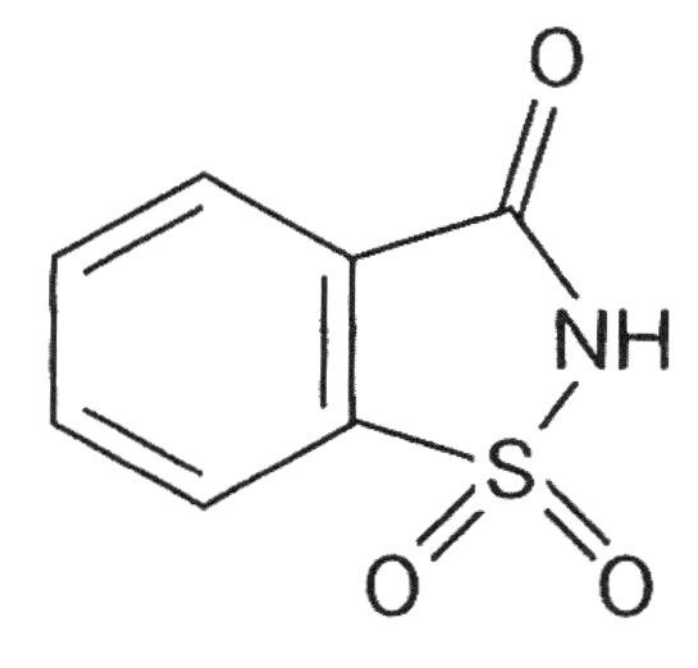

ファールバーグとアイラ・レムセンが、レムセンの研究室でコールタールの研究中に偶然発見したものとされています。

ファールバーグは日夜、化学物質の研究をしていました。ある日、疲れたファールバーグは、実験後手も洗わずに家に帰り、その手で夕食のパンを食べたと言います。すると、砂糖を加えていないのにも関わらずパンが甘いことに気付きました。何が原因なのかと思えば、その原因は自分の手以外にあるとは思えません。つまり、研究室でいじっていて、自分の手に着いた物質が甘さの原因であることに気づいたのです。こうして、世界初の人工甘味料「サッカリン」が生まれました。全くの偶然の産物でした。

1884年にファールバーグは、この物質にサッカリンと名づけ、レムセンに無断で数カ国で製造法に関する特許を取得しました。ファールバーグは、これによって富を得ましたが、レムセンは自分の研究室で発見された化合物なのだから、その権利は自分にもあるはずだと、激怒したといいます。

サッカリンはまもなく商品化されましたが、甘さは砂糖の200〜600倍という凄さでした。丁度、第一次世界大戦が始まった時期であり、砂糖が不足していたこともあって、サッカリンは急速に普及しました。そのうえ、1960年代から1970

年代にはダイエットへの有効性が認識され、広く使われるようになったのでした。

人工甘味料の危険性

しかし、1977年、米国食品医薬品局FDAはサッカリンに発ガン性の疑いがあることを理由にサッカリンを使用禁止にしました。しかしその後、詳しい研究を行ったところ、発ガン性の疑いは否定され、1991年に使用禁止は解除されました。現在サッカリンは糖尿病患者、あるいはダイエット志向の方々に手軽な甘味料として愛用されています。

このようにサッカリンの危険性は否定されましたが、危険性が決定的となり、使用が禁止されてしまった人工甘味料もあります。それが砂糖の250倍甘いズルチンです。ズルチンはサッカリンとほぼ同時期(1884年)に開発された人工甘味料ですが構造はサッカリンとは全く異なっています。ズルチンには毒性がありました。しかも、サッカリンと違って、食べた後に苦味が残らないため、いくらでも舐めることができ、幼児の死亡例が起きました。例えば1947年には幼児が5gのズルチンを舐めて死亡しました。また1963年には両親の留守中に、ズルチンを大量に舐めた子供2人が死亡した事件もありました。このような事件のため、1969年に使用禁止となりました。しかし中国などでは禁止になっていないため、輸入品に混入されている可能性があり、当局が監視を続けています。

危険性が指摘されるもの

危険性が指摘されたものには1934年に開発されたチクロもあります。チクロの甘さは砂糖の30～50倍と控え目ですが、砂糖の甘味に似ており、すっきりした後味があるといいます。しかし、FDAが発ガン性や催奇形性があると指摘したため、アメリカや日本では1969年に使用禁止と

●チクロとズルチン

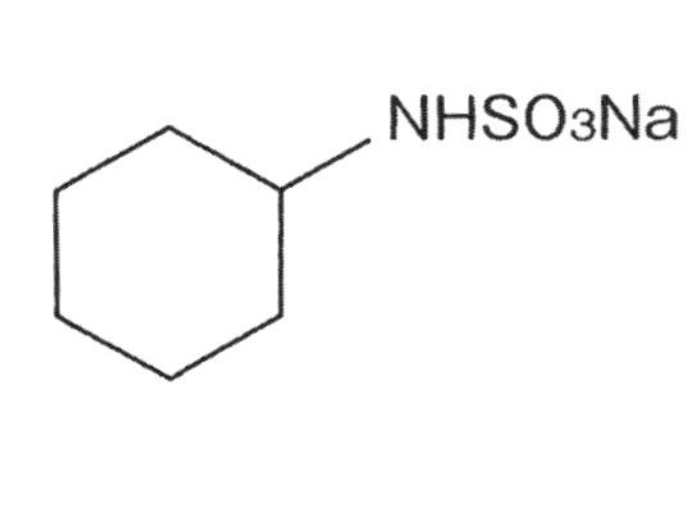

チクロ

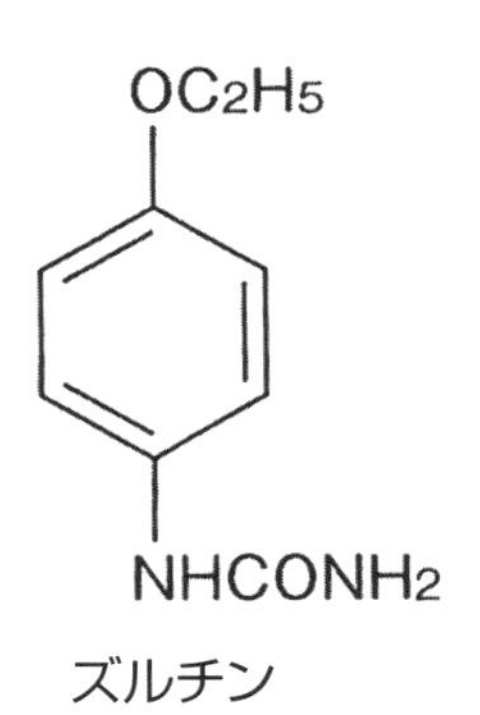

ズルチン

なりました。ところが他の国でFDAの指摘を追試しても同じ結果が得られないということでカナダ、中国、EUなどでは使用可となっています。

実害の報告は無いようですが、一部の消費者が疑いの目を向けているのがスクラロースです。スクラロースの甘さは砂糖の600倍と言われ、1976年にイギリスで開発されましたが、その開発には面白い話が残っています。

最初に、この化合物を合成したのは学生だったと言います。面白そうな化合物ができたので教授に報告しようと思ったのですが、あいにく教授は外出中なので電話で報告したのだそうです。電話を受けた教授はその物質の性質を「test」しておくようにと言ったのですが、学生はそれを「taste」しておくようにと聞き間違え、舐めてみたのだそうです。その結果甘いことがわかり、人工甘味料の合成成功となったわけです。

しかしこれは運の良い間違いであり、もしこの物質が甘いどころでなく、猛毒だったとしたらこの学生はどんな目に逢っていたかと考えると恐ろしくなります。

ところで、スクラロースと聞いてスクロースを思い出した人もいるのではないでしょうか。スクロースは砂糖(化学的にはショ糖)のことです。スクラロースは砂糖分子に8個あるOH原子団(ヒドロキシ基)のうち3個を塩素原子Clに置き換えたものです。すなわち有機塩素化合物なのです。有機塩素化合物というと、殺虫剤のＤＤＴ、ＢＨＣ、カネミ油症事件で知られたＰＣＢ、公害で大騒ぎになったダイオキシンなど有害物質で知られています。スクラロースも高温に加熱すると塩素ガスが発生する可能性があるということで、神経をとがらす方も見えるようですが、当局は健康に問題は無いと言っています。スクラロースはそれを用いた飲用品は市販されていますが、スクラロースそのものは市販されていません。

●スクロース（砂糖）

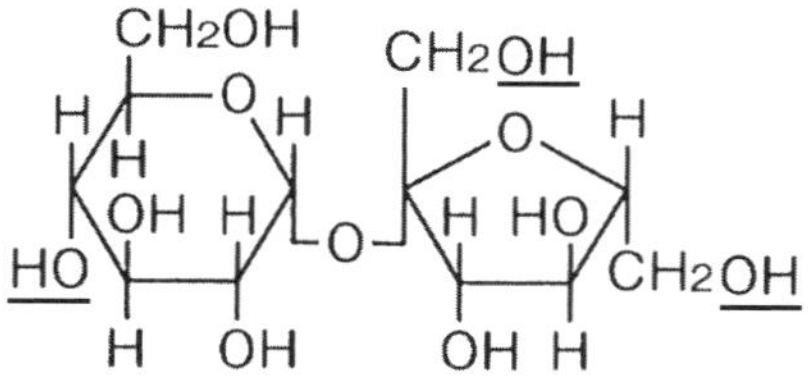

●スクラロース

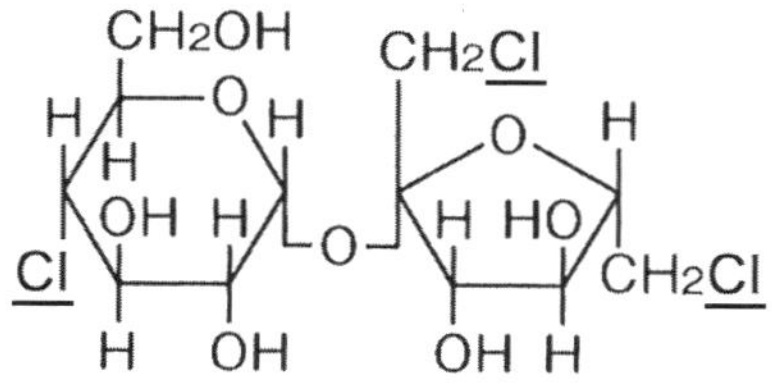

流通する人工甘味料

現在流通している人工甘味料にはこのほかに、アスパルテーム、アセスルファムKなどがあります。アスパルテームはアメリカで1965年に開発され砂糖の200倍甘い甘味料ですが、これの特徴は2個のアミノ酸が結合したものだということです。アミノ酸はタンパク質の構成成分であり、それが甘いとは?ということで化学者は一様に驚きました。アセスルファムKはサッカリンに似た構造の分

●アスパルテーム

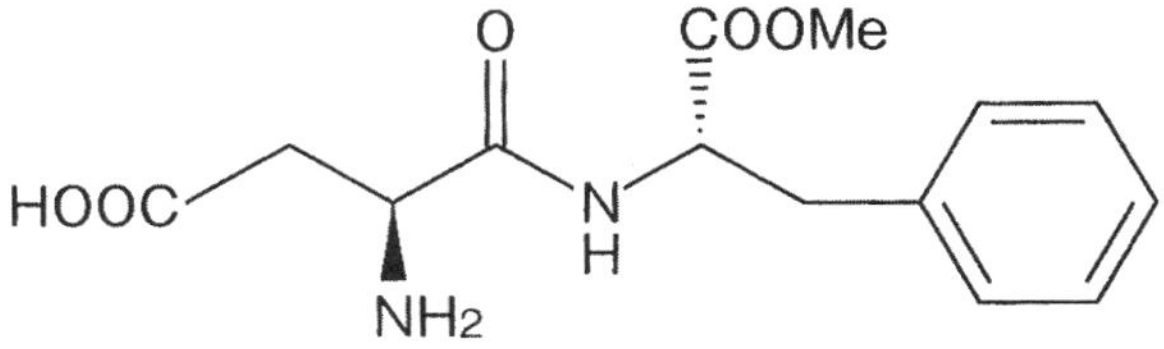

●アセスルファムK

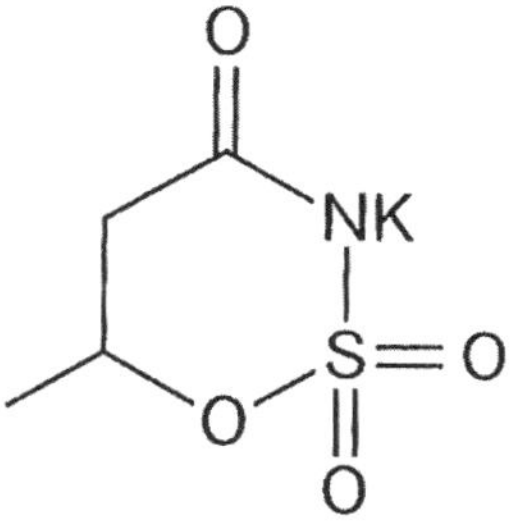

子であり、1967年に開発され、砂糖の200倍の甘さがあります。これの特徴はアスパルテームと併用すると砂糖によく似た味になるということです。そのため、両者は混合して用いられることが多いようです。

甘い分子はこれからも色々開発されていくでしょうが、目下の所、最も甘いと言われているのはラグドゥネームという、1996年にフランスで開発された物質で、なんと砂糖の30万倍の甘さと言います。

●ラグドゥネーム

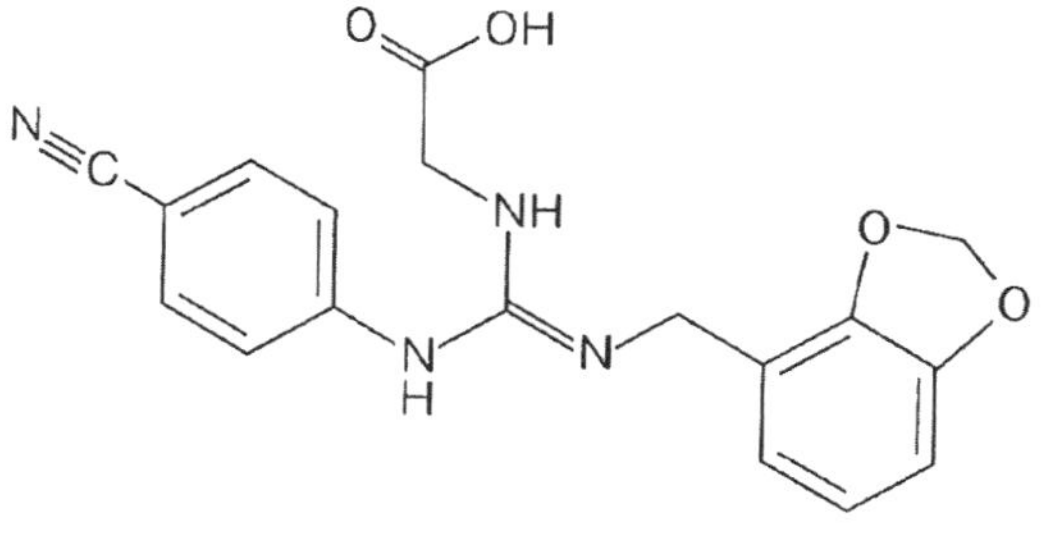

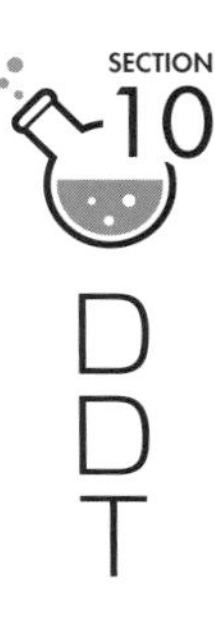

DDT

私たちの目に映る宇宙は物質でできており、その物質はわずか90種ほどの元素を除けば、残りの全ては原子が化学結合してできた分子、すなわち化学物質です。しかし一般的に化学物質という時には、自然界に元々存在する物質以外の物質、すなわち人間が化学反応を用いて人為的に合成した物質を指します。

ＤＤＴはそのような合成化学物質です。人間が意図的に作り出した物質で、自然界には存在しませんでした。「でした」というのは過去形です。つまり今ではまるで天然物のように自然界に広く存在しているのです。

クイズ

クイズをやってみましょう。問いは「地球上で最も人間の命を奪っている生物は何か？」です。人間は紛争や戦争によって多く人間の命を奪いますが、順位から行くと2位だそうです。猛毒のヘビは3位、サメは14位でしかありません。

1位はなんと、「蚊」なのです。世界保健機関（WHO）によると年間約70万人の生命を奪っていると言います。それは、蚊が感染症の病原体（ウイルスや原虫）を媒介するからです。病原体を持った蚊自身は病気にはなりませんが、ヒトや動物が刺されると感染症を引き起こします。

リオ・オリンピックで話題となった、小頭症の原因になるジカ熱、日本脳炎、デング熱など、現在11疾患が蚊媒介感染症として確認されています。中でもマラリアは2015年には32億人以上の人々が危険にさらされ、進行中のマラリア感染は95の国と地域で発見されました。

太平洋戦争末期では南方離島や沖縄の戦争による犠牲者よりも、マラリアの犠牲者の方がはるかに多かったという記録もあります。その蚊の撲滅に貢献したのがDDTだったのです。しかし、蚊の撲滅で人類に貢献したDDTが一方で人類に多大の災禍をもたらしていたのです。

ＤＤＴの合成と効果

ＤＤＴは１８７３年にオーストリアの化学者オトマール・ツァイドラーによって初めて合成されました。しかし、使い道の無い化学物質として誰にも見向きもされず、長い間放置されていました。70年近くも経った１９３９年、スイスの製薬会社ガイギー社の技師、パウル・ヘルマン・ミュラーによって殺虫効果が発見されたのです。

ＤＤＴはその後、第二次世界大戦によって日本の除虫菊の供給が途絶えたアメリカによって殺虫剤として実用化されました。ＤＤＴは当時ヒトや家畜に無害であるように見えたため爆発的に広まりました。アメリカ軍は１９４４年9月から10月のペリリューの戦いで戦死体や排泄物にわくハエ退治のためにＤＤＴを初めて戦場に散布しました。

ＤＤＴは安価で大量生産でき、かつ高等生物への急性毒性が弱いため、その使用量は年々増加し、万能の殺虫剤として多用されました。スリランカでは、１９４８年から62年までＤＤＴの定期散布を行なった結果、年間２５０万人を数えたマラリア患者数を31人にまで激減させることに成功しました。

DDTの毒性

ところが、化学物質の危険性を取り上げた、レイチェル・カーソン博士の著書「沈黙の春」でDDTの立場は一転しました。DDTの毒性が明らかにされたのです。DDTは生物体内で代謝されて他の物質に変化しますが、これらの代謝物はいずれも生物での体内蓄積性が高い物質で、食物連鎖により高等生物ほど濃度が高くなります。

調査によれば、1970年代の母乳からは現在の10倍以上のDDT類が検出されました。他にもDDTの有害性に関する論文が数多く発表され、1980年代に各国で使用禁止となりました。そして2001年に行われた外交会議、残留性有機汚染物質に関するストックホルム条約(POPs条約、2004年発効)が採択され、DDTの製造および使用が世界中で制限されることになりました。

しかし、スリランカのマラリア感染者は、DDTの使用禁止後、僅か5年足らずで年間250万人に逆戻りしました。このような事例は南アフリカや中南米の熱帯・亜熱帯の途上国で数多くみられ、再びマラリアの恐怖が蔓延しています。これらの報告を受け、2006年WHOは科学的データを再検討し、「殺虫剤の中でマラリア予防対策にはＤＤＴが最も有効であり、適切に使用すれば人間、野生動物に有害ではない」と強調、ＤＤＴの室内散布を認め、「ＤＤＴ使用の復権」に方向転換しました。

蚊の多くは熱帯・亜熱帯に生息しますが、温暖化により、近い将来病原体を持った蚊の生息域が北上して日本へ侵入することも十分考えられます。熱帯地方の途上国でのＤＤＴの使用は現状を考えると止むを得ません。

近年の研究ではＤＤＴに明確な発ガン作用は無いという報告もあります。またＤＤＴの異性体であるo,p－ＤＤＤは、ミトタンの名で副腎皮質癌治療薬として登録されています。

プラスチック

プラスチックは現代生活に欠かせないものです。家電製品はもちろん、食器、家具、衣服も合成繊維であり、これはプラスチックを変形したものです。自動車も船も、飛行機も最近は炭素繊維というプラスチックになっています。

プラスチックの上に成り立っているような現代社会ですが、そのプラスチックができたのは１００年ほど前のことに過ぎません。ということは、１００年ほど前には社会にプラスチックは存在しなかったのであり、その社会はどのようなものであったのか、今となっては想像するのが困難なような気がします。

その頃は家に大した家電は無く、あってもラジオ位なものであり、その外装は木製でした。食器は木製や陶磁器製であり、衣服は１００％天然繊維でした。プラスチックは無くてもやっていけるのかとも思いますが、現在のように複雑な家電が家を取り仕切り、便利で精密な交通手段で成り立っている社会をプラスチック無しで再現するのは難しそうです。プラスチック公害が取りざたされる昨今ですが、プラスチックを無くすることは今となっては不可能なのかもしれません。

2種類のプラスチック

プラスチックは日本語で樹脂あるいは高分子と言います。樹脂は松脂などのように温めると粘土のように軟らかくなり、冷やすと石のように硬くなるもののことです。高分子というのは化学的な術語で、大きな、あるいは長い分子のことを言います。しかし、ただ大きく、長いだけでは高分子とは言いません。その様なものは巨大分子であり、石炭のようなものです。高分子とは鎖のような分子であり、鎖が小さい輪っかが繋がってできているように、沢山の小さな単位分子が結合してできたものを高分子と言います。「高分子 = プラスチック」のように言うことが多いようです。

そのプラスチックですが、実は大きく2種類に分けることができるのはご存知でしょうか? 「熱可塑性高分子」と「熱硬化性高分子」です。熱可塑性というのは、加熱すると可塑性になる、つまり変形するようになることを言います。確かにプラスチックコップに熱湯を入れると変形して危険です。このように、一般にプラスチックというものは多くの場合、熱可塑性高分子です。合成繊維も熱可塑性高分子の変形品です。

それに対して熱硬化性高分子というのは、加熱しても軟らかくならない高分子のことを言います。わかりやすい例では、プラスチック製のお椀です。これは熱いみそ汁を注いでも軟らかくはなりません。鍋の蓋のつまみや取っ手の握りなどもそうです。コンセントも多少熱くなっても軟らかくなることはありません。無理に加熱すると木材のように焦げて黒くなって煙を出します。専門家の中には熱硬化性高分子はプラスチックではないという方もおられます。

失敗から生まれたプラスチック

それは1907年のことです。当時、プラスチックは人工的に作ることは出来ず、全て自然界に存在する天然高分子や天然高分子に加工したものを用いていました。天然高分子の代表は木材のセルロース、穀物のデンプン、あるいは肉類のタンパク質などです。

天然高分子に手を加えたものとしては天然ゴムに多量のイオウを加えた「エボナイト」、セルロースをニトロ化したニトロセルロースを固体化させた「セルロイド」、カイガラムシという昆虫が分泌する天然樹脂を精製した「シェラック」などがありました。シェラックは木材の保護や食品のコーティングに使われていましたが、品不足に悩んでいました。そこでベルギー生まれの化学者、レオ・ベークランドは、フェノールとホルムアルデヒドを混ぜて人工樹脂を作ってみました。ところが、できあがったのは出来損ないのパン生地のような茶色い塊です。とてもじゃないがシェラックの代用になるようなものではありません。

しかし、楽観的な性格のベークランドは、それを捨てることなく型に流し込んでみました。すると、型に合わせて自由に形を整えることができ、その上、熱を加えるとその形で固まり、耐久性の高い材料となることがわかったのです。

ベークランドはそれを自分の名前をとって「ベークライト」と名付けて商品化し、大成功したのでした。これが世界初の人工的に合成されたプラスチックの誕生でしたということに、一般的にはなっています。

熱可塑性高分子の誕生

しかし正確には、このプラスチックはフェノール樹脂と言われるものであり、熱硬化性高分子の一種であって、プラスチックではありません。つまり、一旦出来上がった製品は煮ても焼いても軟らかくはなりません。つまり成形のやり直しはできないのです。プラスチックの誕生はもう30年ほど待たなければなりませんでした。

人類初の熱可塑性高分子、プラスチックはナイロンです。ナイロンはアメリカデュポン社の若い研究者カロザースが作りました。彼はヘキサメチレンジアミンという6個の炭素からなる化合物と、アジピン酸というこれも6個の炭素からなる化合物を反応させてナイロン6・6という高分子を作りました。

カロザースがナイロン開発に成功したのは1935年頃ですがデュポン社は、成功発表より発売日を先にしたいとの意向から、量産体制を整えました。そのため、ナイロンが「クモの糸より細く、鋼鉄より強い」という有名なキャッチコピーとともに売り出されたのは1938年のことでした。その時、数年に渡ってうつ病に苦しんだカロザースはホテルで青酸カリを飲み、無名のまま亡くなっていました。

SECTION 12 ユーリー・ミラーの実験

この実験は、実験を行なった二人の化学者の名前で呼ばれるほど有名な実験です。その価値も、多くの生化学や化学の教科書に載るほど偉大です。場合によってはノーベル賞が与えられても良いような実験です。しかし、実験の土台になる前提条件が間違っていたということで、全ては無に帰しました。しかし、それでも私はノーベル賞2回くらいに相当する実験でないかと思っています。

有機物と無機物

化学物質は有機物と無機物に分けられます。今でもそうでしょうが、生物と生物以外のものは画然と分けられていました。いわば生物は神の恩寵によって作られたものであり、生物以外のものは神とは無関係の世界に置かれたものとでも考えられていたのでしょう。

そのせいか、昔、物質には生物しか作ることのできないものと、生物以外でも作ることのできるものがあると考えられていました。生物しか作れないものの代表は、当時はタンパク質や尿素とされていました。もし当時、核酸が知られていたら、それこそは生物しか作れないものの代表とされたことでしょう。

そして、生物しか作れないもの(分子)を有機物、生物以外でも作れる物質を無機物と言いました。それに従って、有機物を研究する化学を有機化学、無機物を研究する化学を無機化学として分類していました。

しかし、現在そのように考える化学者はいません。昔は典型的な有機物と考えられていた、タンパク質、デンプン、尿素、それどころか核酸まで、現在では人工的に作ることができます。このようになったのはアメリカの若い化学者のミラーとその先生でノーベル賞受賞者のユーリーが行った、一般に「ユーリー・ミラーの実験」と呼ばれる実験のせいでした。

実験

実験は１９５３年にアメリカ、シカゴ大学で行われました。当時ハロルド・ユーリーは１９３４年に重水素の発見でノーベル賞を受けたシカゴ大学の教授、スタンリー・ミラーはユーリーの研究室の学生でした。当時ユーリーは天文学や天体化学に興味をもって研究していました。

生命体がどこから来たのかという問題はいつだって科学者の心を掻き立てます。当時、生命体の本質はタンパク質であると考えられていました。それは今でも同じです。生命の本質はタンパク質であると言って良いでしょう。それでは、タンパク質はどこから来たのでしょうか？

当時の考えによれば、有機物であるタンパク質を作ることできるのは生命体です。だとすると生命体の存在しなかった原始地球にタンパク質を作る力は無いことになります。つまり、地球上の生命体、タンパク質は宇宙のどこかに棲む生命体から飛んできたものということになります。

しかし二人は、もしかしたら、生命体の存在しない地球上でもタンパク質はできるのではないかと考えました。そこで二人は1953年、図のような実験装置に地球原始大気を模擬した、メタンCH_4、アンモニアNH_3、水素H_2、水蒸気H_2Oの混合気体を入れ、連続的な放電を行いました。また原始海洋を模して、液体の水の入ったフラスコも加えて加熱しました。数日間、休みなく放電と加熱を続けると、装置内の液体は茶褐色に変色しました。

　この液体を分析したところ、なんと、酢酸、尿素のほかに、グリシン、アラニンなど数種類のアミノ酸分子が検出されたのです。アミノ酸が出来ればその先タンパク質を合成する

●ユーリー・ミラーの実験

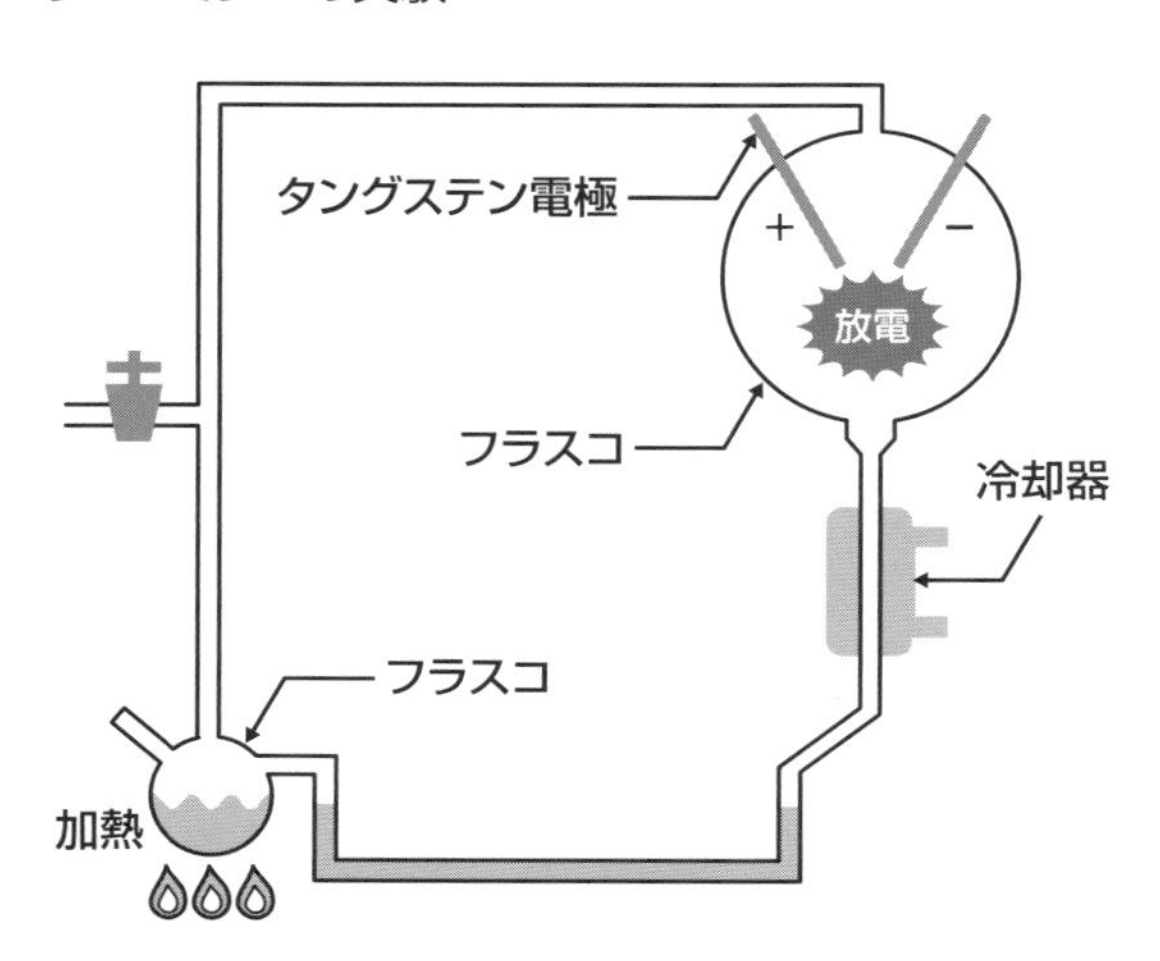

反応は、いつでもどこでも進行する普通の化学反応にすぎません。

　生体を構成する有機物が、無機物やメタンなどから直接生成できるということを明らかにしたこの実験は、生命の起源にとって重要な結果であり、大きな衝撃を与えました。

実験の価値と評価

　この実験は多くの科学者の注目を浴び、多数の大学や研究所で同様の実験が行われました。その結果、初期の成分や条件を変えることで、タンパク質の成分であるアミノ酸だけでなく、核酸の成分であるプリンやピリミジン、あるいはエネルギー貯蔵物質であるＡＴＰの要素であるアデニンなどまでができることも確認されました。学界は騒然としました。

　ところが、その後の地球物理学の研究進展により、最初の生命が誕生した時の地球大気の構成成分は、メタンやアンモニアなどの還元性気体ではなく、二酸化炭素や窒素酸化物などの酸化性気体が主成分であったと考えられるようになりました。つまり、二人の実験はその前提条件が間違っていたのです。

酸化的な大気中における有機物の合成は著しく困難です。そのため、現在では、多くの生命起源の研究者たちは、ユーリー・ミラーの実験を過去のものと考えています。このように、二人の得た結果の価値は現在では認められない方向にあります。

しかし、生命体しか作り出すことのできないような物質（分子）は存在しないのであり、どのような物質も物理的、化学的な条件さえ満たされれば自然に合成できるのだ、ということを示したのは偉業と言って良いでしょう。もっと言えば、二人は物質の変化、反応に生命力、あるいは神の意思は無関係だということを明らかにしたのです。

スタンリー・ミラーはその後カリフォルニア大学の教授となり、生涯研究を続けて2007年に亡くなりました。

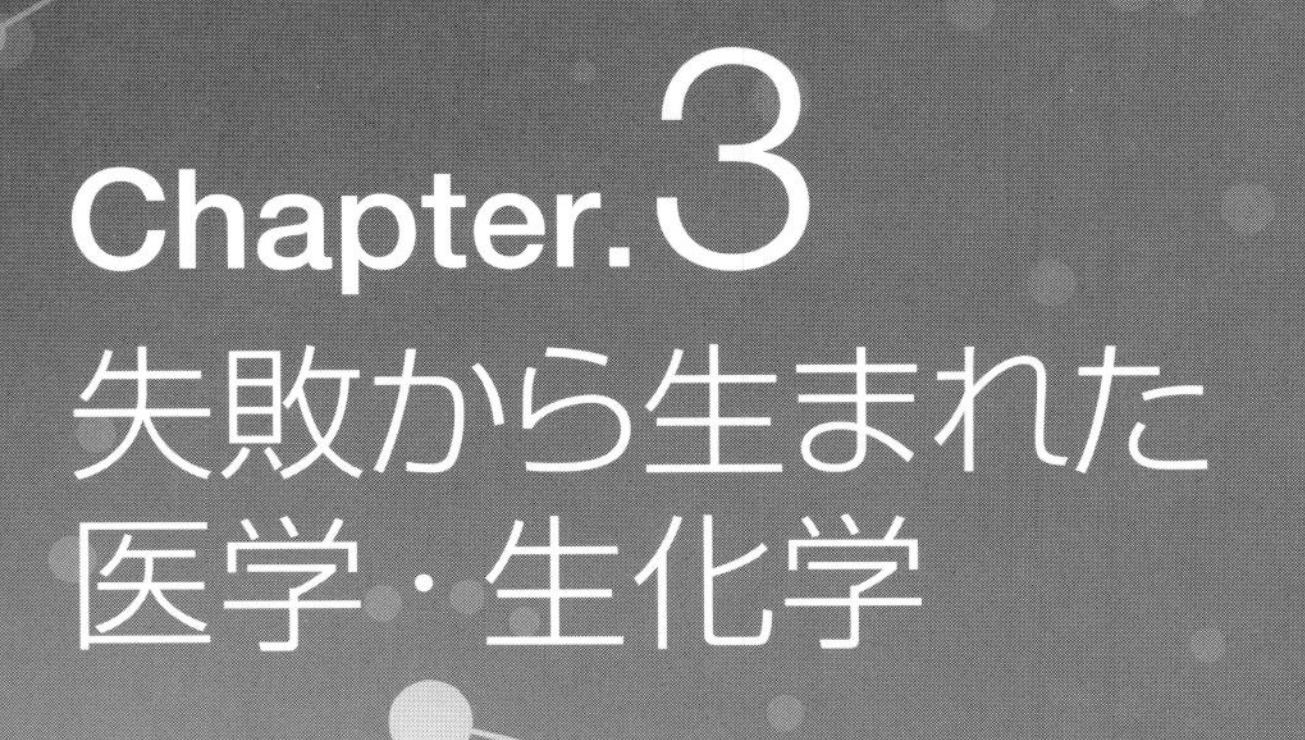

Chapter. 3
失敗から生まれた医学・生化学

生体防御機構

生物は常に外界と接触しています。外界は花や蝶のように優しいものだけとは限りません。むしろ、生体を攻撃し、場合によっては自分の食料、栄養分にしようと目論でいるものの方が多いでしょう。外界にはさまざまな物質や化学物質、あるいは他の生体が存在しています。これらの中には生体にとって栄養源であり、生命活動にとって必要なものです。しかしあるものは、不必要なだけでなく、有害で、生命体にとって危険でさえあるものもあります。

免疫

生体が生き延びるためには、このような自分にとって有害な異物から身を守らなければなりません。そのために皮膚、体毛などの防御物質を備え、まばたき、咳などの防御運動を行っています。それでも有害物質は生体の内部に侵入してくることがあります。このような有害物を一般に抗原と言います。

免疫はそのような抗原に対する防御策の一つであり、生体が抗原から自らを護る最終的な防御手段なのです。免疫は精巧に作られたシステムです。

免疫系

体内に侵入した異物、抗原を迎え撃つのが、免疫担当細胞です。免疫担当細胞は、血液の白血球に相当する部分です。しかし、白血球にも多くの種類があります。

白血球のうち、最も多いのは顆粒球であり、全白血球の60〜70％を占めます。顆粒球の大部分は好中球であり、好中球は抗原の種類に関係なく抗原を貪食するので食細胞ともよばれます。次に多いのが小リンパ球といわれるB細胞とT細胞です。これらの細胞は共同して高度な免疫系を構築します。

免疫系は免疫細胞の他に、抗原と抗体からなります。抗原は生体に害をなすものであり、それに対して免疫作用をおこなうのが免疫担当細胞であり、その細胞が分泌するものが抗体であり、これは免疫グロブリンとも呼ばれます。

生体に有害な抗原は花粉や重金属のようにそれ自身が毒素であることもあれば、細菌やウイルスのように、抗原が更に毒素を出すこともあります。

このような抗原に対して免疫担当細胞が分泌する化学物質が抗体、いわば指名手配書です。抗体は抗原を識別し、抗原と反応して結合します。すなわち抗原の背中に指名手配書が貼られるのです。この指名手配書が貼られた抗原を見ると、後に見る好中球やマクロファージといった食細胞が犯人と認識し、貪食して体内から除去してしまいます。またキラーT

●免疫担当細胞

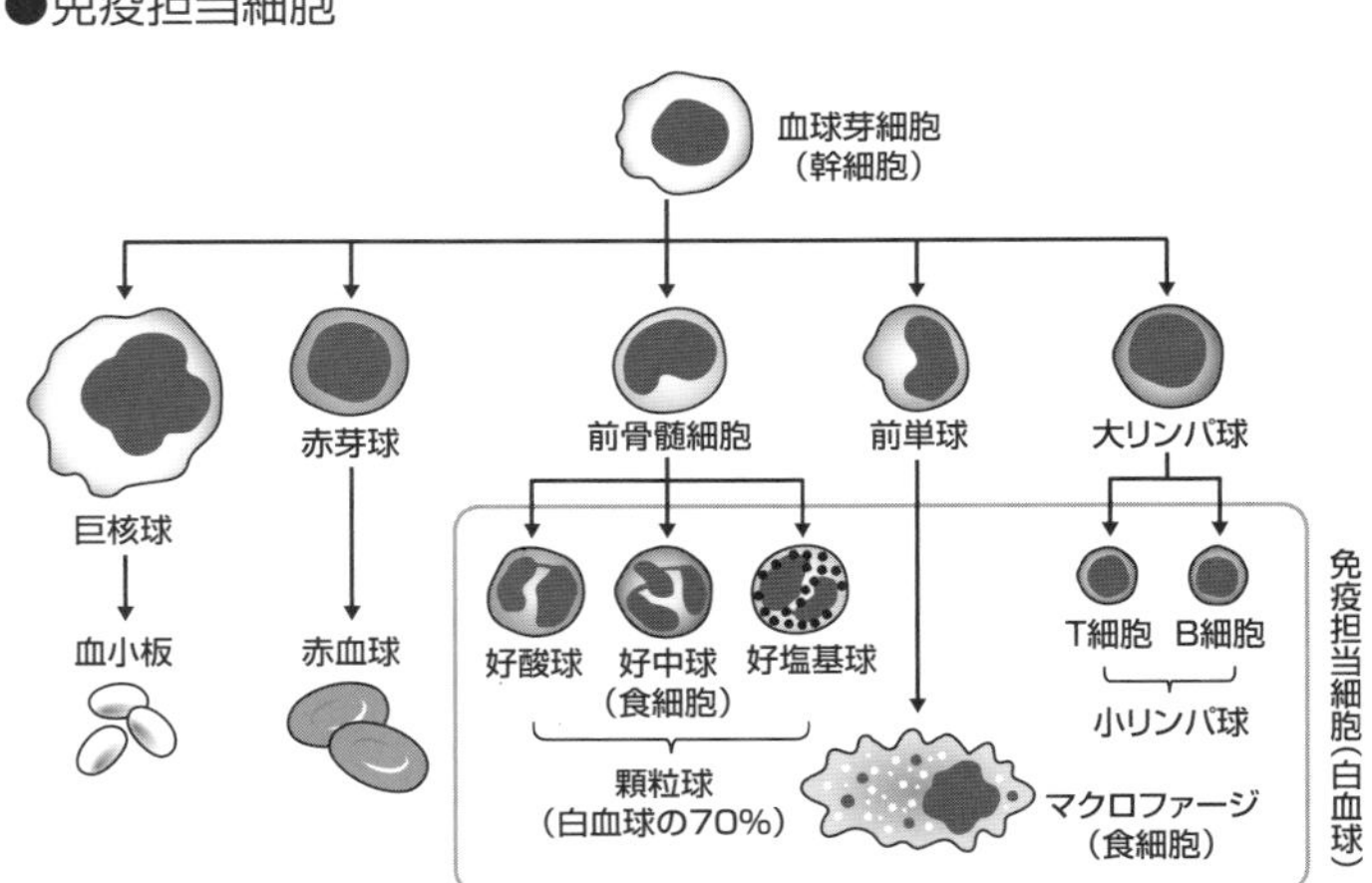

細胞等の免疫細胞が標的と認識して攻撃を開始するのです。

免疫グロブリン

抗体は一般に免疫グロブリンとも言われ、小さなタンパク質です。そして特定の抗原と1：1で結合します。そのため、抗原－抗体反応は酵素反応と似た、鍵と鍵穴の関係になります。

先に見たように、免疫担当細胞は何種類もあります。その中でも特に重要な働きをするのがB細胞（Bリンパ球）、T細胞（Tリンパ球）とマクロファージの3つです。B細胞とT細胞は共に小リンパ球ともよばれ、見かけ上、区別することはできず、働きの上で区別するだけです。

通常の場合、これら免疫細胞が抗原に対抗できるだけの威力を獲得するには7～10日程の期間を必要とします。すなわち、抗原が侵入してから生体の免疫系が作動するためには10日間ほどかかるのです。その間は残念ながら高度な免疫システムは作動しません。その間は下働きともいうべき食細胞がひたすら抗原を食べ続けます。

免疫系が作動すれば、組織だった免疫活動が開始され、抗原は徹底的に排除されます。大切なことは、免疫作用が完全に行われ、抗原が消失してしまった後も、この免疫系の行動は記録に残されるということです。

アレルギー

そして、いつかまた同じ抗原が侵入してきたときには、今度は1週間の猶予期間などという悠長なことは言わず、たちどころに免疫系が作動します。これが、あまりに早く、あまりに過剰に働くのがアレルギーということになります。極端な場合にはコソドロのような抗原に対して軍隊のような免疫系が出動することになります。こうなったら、被害を受けるのは戦場になった患者の方です。これがアナフラキシーショックということになります。

ワクチン

図は何を表しているのかおわかりでしょうか？　これはハロウィーンの悪魔の仮装ではありません。中世の看護師の服装です。着ているのはお医者さんや教会の修道士たちです。彼らはボランティアで病人の面倒を見ていました。これは中世ヨーロッパを何回も襲った恐ろしい伝染病の黒死病、ペストが流行した時の感染防護服です。

頭は鍔広の帽子で覆い、全身をマントで覆い、顔は不気味な鳥の仮面のようなもので覆っています。仮面の巨大な鼻のような部分には乾燥したハーブが入っています。当時の知識ではハーブには殺菌作用があることになっていたのです。

●ペストの感染防護服

衛生事情

全身をマントで覆うのはわかるとしても、鍔広の帽子は何の役に立っているのでしょう？　これは中世ヨーロッパの不潔さの象徴のようなものです。楽聖モーツァルトは36歳の若さでペストで亡くなりましたが、その最後の曲はレクイエムです。モーツァルトがこの曲を完成させたのは前半の半分だけで、後半の半分はスケッチで終わっています。この曲はある人からの依頼で書かれたものですが、その依頼主がモーツァルト家を訪れた時の様子が、この図に似ています。

黒の鍔広の帽子に黒いマント、その上、顔にも黒いマスクを着けていたとあります。伝記によっては、「この様子をみてモーツァルトは〝死の国の使い〟が来たかと思った」と書いてありますが、多分そのような誤解は無かったでしょう。というのは、当時のヨーロッパではこのような服装は奇異でも何でもなかったのです。

当時のヨーロッパの家ではトイレがありませんでした。ベルサイユ宮殿だってトイレ無しでした。昼は家の外や宮殿の庭の隅で用を足したでしょうが、夜中に外に出るのは億劫です。そこで部屋にオマルを置いてそこで用を足しました。そして朝になると、窓から中身を外の通りに捨てます。2階の窓からでも棄てます。通りには前日の夕方のうちに短く切った藁が敷いてあり、朝には係りの者が集めに来ます。当時はこれを清潔な習慣と思っていたのでしょう。

大変なのは、朝、通りを歩く人です。空から恐ろしいものが降ってくるのです。それを避けるためには鍔広の帽子とマントとマスクが必要になろうというものです。伝染病が流行ったらひとたまりもありません。

天然痘

昔は色々な伝染病が流行りましたが、中でも危険なのは天然痘(疱瘡)というウイルスによる伝染病でした。疱瘡に罹ると顔や手足を主にして体中に腫物ができ、高熱が続きます。かなりの確率で命を落としますが、治っても、腫物の跡が月のクレーターのようなアバタとして残りました。戦国武将の伊達正宗は隻眼(片目)で知られていますが、これも天然痘のせいと言われています。

インカ帝国は、13～16世紀にかけて繁栄した、アンデス山脈沿いの大帝国であり、最盛期には人口600万を有したと言います。ところが、1533年、スペインから来たピサロは、わずか百数十名の手勢とわずかな装備で、インカ兵数千人を殺し、8万人もの兵隊に守られた皇帝アタワルパを捕虜にしてしまったのです。

なぜそのようなことが出来たのかというと、実はインカでは、少し前にスペイン人がもたらした天然痘が大流行し、全体の人口が激減し、皇帝までもが2代に渡り天然痘で死亡していました。そのため、皇帝の座をめぐって、内戦が起こり、ようやくアタワルパが皇帝になったばかりだったのです。

たかが感染症と侮ってはいけません。新大陸が発見された当時、南北アメリカ大陸には2000万人の先住民がいたと言われますが、その後200年間で、人口が100万人に激減しています。その原因の多くが、天然痘やインフルエンザ、チフス、麻疹など、ヨーロッパから持ち込まれた感染症によるものだったのです。先住民達には免疫がなかったのです。ちなみにピサロの運命ですが、インカ帝国を征服したわずか4年後に、母国スペイン国王から、アタワルパを無実の罪で処刑したとして、死刑を宣告されています。

ワクチン

ところが、天然痘には一度罹ると二度と罹らないという特徴がありました。そこで患者の腫物の膿を体にこすり付ける民間予防法もあったようですが、これは悪くすると天然痘に罹って命を落とす可能性もある危険な予防法でした。

18世紀末、イギリスの医師ジェンナーは、故郷の田舎で開業医をしていました。都会で暮らしたことのあるジェンナーは、田舎の女性は都会の女性に比べてアバタ顔の人が少ないことに気づいていたと言います。そして田舎の女性自身も「私たち田舎の女性にアバタ顔が少ないのは、私たちが牛の乳絞りをしているからだ。牛の天然痘である牛痘に罹るが、牛痘に罹ると天然痘に罹らないのだ」と言っていました。

これを聞いたジェンナーは、1796年に、ジェンナー家の召使いの8歳の子供に、牛痘に罹った女性の手から採取した標品を接種しました。少年は微熱は出たものの、すぐ治りました。そこで、牛痘接種から6週間後に今度は本物の天然痘を接種しましたが、少年は天然痘に罹ることはありませんでした。これがワクチン発見のいきさつであり、ジェンナーはワクチンの生みの親とされています。

ワクチンというのは、治療薬ではありません。予防薬です。先の免疫の項で見た抗原がワクチンなのです。抗体は、病原体である抗原に貼りつける指名手配書です。この手配書を見て免疫細胞が抗原体を攻撃して退治するのです。

ワクチンには、いくつかの種類、タイプがありますが、一つは死んでしまった抗原であり、これは不活化ワクチンと言います。もう一つは毒性を弱めた抗原で生ワクチンといいます。そしてもう一つは抗原が出す毒物を弱めたものでトキソイド（ワクチン）と呼ばれます。

新型コロナウイルスに対して作られたmRNAワクチンは、これらのどれにも当てはまらない新型ワクチンです。mRNA（メッセンジャーRNA）は核酸の一種であるRNAの一種であり、タンパク質の設計図です。mRNAが来ると、細胞はその設計図に従って新規のタンパク質を合成します。mRNAワクチンは、新型コロナウイルスの表面にあるスパイクタンパク質を作らせるmRNAなのです。したがってこのワクチンを接種してmRNAが体内に入ると、細胞は新型コロナウイルスのスパイクタンパク質を作ります。このスパイクタンパク質が抗原となって免疫系を作るのです。

間違いか？ 変異か？

後にわかったことですが、牛痘ウイルスには天然痘の抗体を作らせる能力はありませんでした。牛痘と痘瘡の間に交差免疫は出来ないのです。それでは、ジェンナーに牛痘を接種された少年に痘瘡免疫ができたのはなぜだという疑問が起こります。

答えは、ジェンナーの接種に間違いが起こっていたのではないかという疑いです。接種したのは牛痘腫瘍ではなく、あるいは、牛痘腫瘍の中に他の動物の痘瘡腫瘍が混じっていたのではないのかという疑いが起こっています。そして、その他の動物というのは馬では無かったのかということです。

これは医学史にとっては重大な問題です。その可能性が疑われるのなら試してみるべきです。でもそのような結果は聞こえてきません。もしかしたら、当時の痘瘡ウイルスと今日の痘瘡ウイルスでは質が違っているのかもしれません。

ジェンナーの実験から既に200年以上が経過しています。その間、痘瘡ウイルスが何の変異も起こしていないというのも考えにくいことかもしれません。今となっては、真相を明らかにするのは難しいのかもしれません。

アスピリン

人間は免疫という優れた防御機構を身に着けています。しかし免疫も決して万能ではありません。細菌やウイルスは常に人間に攻撃を仕掛けますし、怪我をすることだってあります。熱を出して苦しむ時、怪我の痛さに泣く時、私達に寄り添ってくれるのは薬です。人間はその歴史を通じて薬を探し続けてきました。

古代中国では神農という人が現われて薬を研究したと言います。古代ギリシアでは哲学者ヒポクラテスが医学を広めています。

一般に中国では漢方薬と言って天然の物質そのものを医薬品として用いるのに対して、ヨーロッパでは天然物から薬効性のある化学物質だけを純粋な形で取り出したり、あるいはその化学物質を化学的に合成したり、更には自然界に存在しない化学物質を作り出して医薬品として用います。

柳の小枝

仏教では医薬を司る仏様として薬師如来や観音菩薩がいます。観音菩薩は色々な姿で私たちの前に現われるとされていますが、その一つに楊柳観音があります。この観音様は手に柳（楊柳）の小枝を持っています。というのは、楊柳は万能の薬とされるからです。

楊柳の薬効は東洋だけでなく、ギリシアのヒポクラテスも伝えています。日本では江戸時代、歯が痛い時に柳の小枝を噛んだそうですし、柳の小枝の根元を叩き潰して歯ブラシに用いたと言います。

19世紀末のフランスに、この柳の薬効成分を取り出そうとした化学者が現われました。彼が抽出に成功したのはサリシンという物質でした。これは、薬効はあったのですが、とても苦くて飲むのが大変でした。そこで何とか飲みやすくしようとしているうちに、間違って分解してしまい、その結果出来たのがサリチル酸でした。

サリチル酸も薬効はありましたが、酸性が強い上に、皮膚を軟化させる働きがあり、飲むと胃に穴のあく胃穿孔になることがあります。

アスピリン誕生

そこで１８９７年にサリチル酸に酢酸を働かせてできたのがアセチルサリチル酸した。作ったのはドイツの製薬会社バイエル社の化学者フェリックス・ホフマンでした。バイエル社は「アスピリン」の特許権を取得して、１８９９年に薬として発売を開始したところ、解熱鎮痛剤、リウマチの薬として世界中で用いられるようになりました。

１８９９年にドイツのバイエル社が発売して以来１２０年以上たった現在もアメリカだけで年間

●アスピリンの同族薬

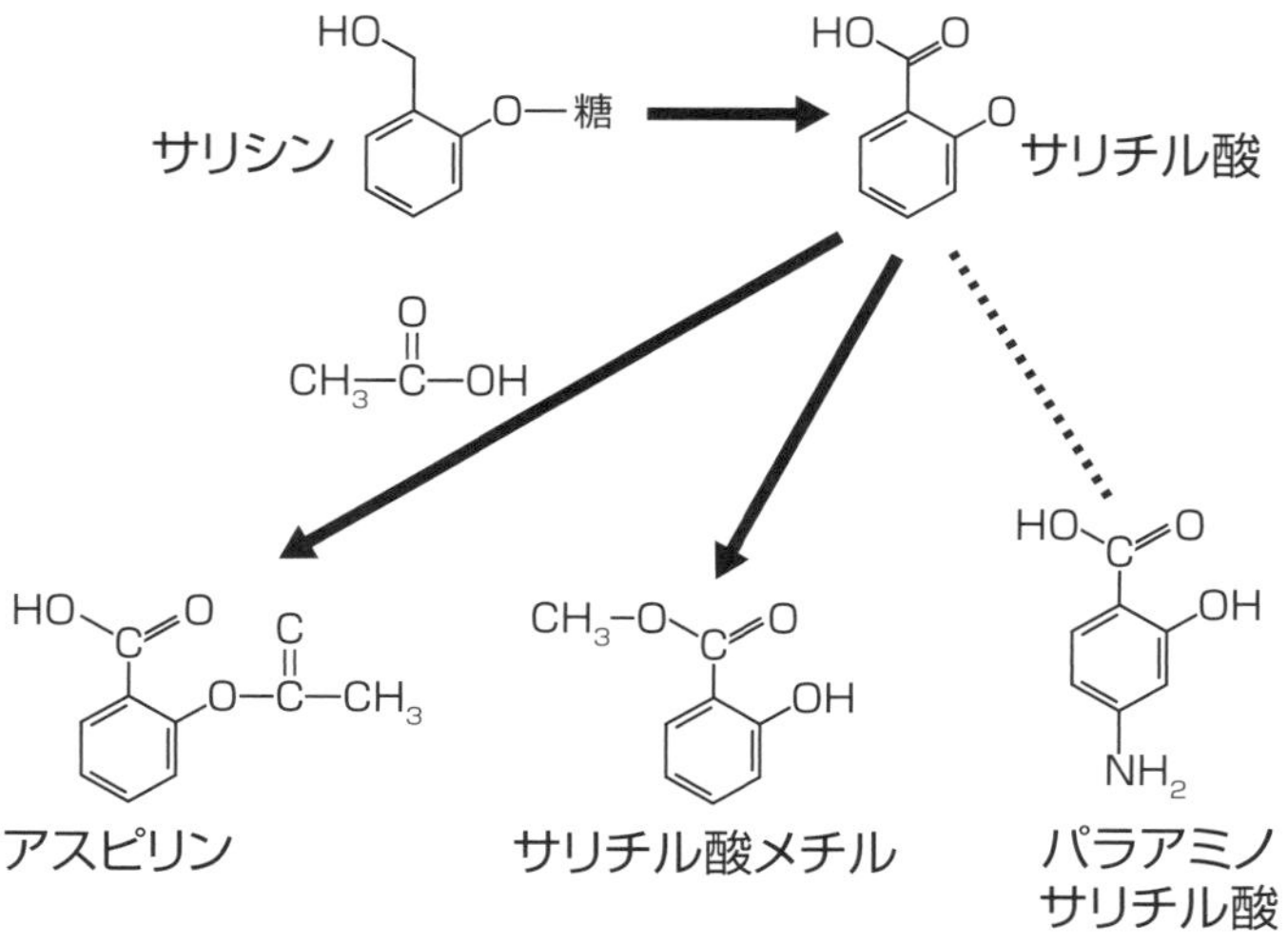

1万6000トンが消費されているというアスピリンは、合成薬の典型、王者と言っても良いのではないでしょうか。

ほかにも、サリチル酸をエステル化することでサリチル酸メチルが生成され、外科用湿布薬が登場しました。さらに、サリチル酸誘導体のパラアミノサリチル酸はパス（PAS）と呼ばれる結核薬として用いられています。

アスピリンの効果

世界中で解熱鎮痛剤として「アスピリン」が多用されるようになって、いくつかの問題が起こりました。カリフォルニアの開業医クラベンは扁桃腺摘出や抜歯を数多く手掛けてきましたが、痛み止めにアスピリンを用いるようになってから、手術後の出血の多いことに気付きました。調べてみると、毎日一回はアスピリン・ガムを口にしたことのある400人の中には2年間に渡って一度も心筋梗塞に罹った人はいないことがわかりました。

一方で、水疱（水ぼうそう）やインフルエンザなどのウイルス感染にかかっている小児が回復期に激しい嘔吐、痙攣を起こして意識不明となり、肝臓障害が急激に出現して重体に陥るライ症候群と呼ばれる病態がありますが、患児にアスピリンの薬物を使用した時に多く見られることから、これらの薬剤との関連が疑われています。イギリスなどでは原則として、12歳以下の小児にはアスピリンを使わないことになっています。

１９６０年頃までの解熱剤にはアミノピリンやスルピリンなどピリン系と呼ばれるものが多く用いられ、風邪薬を飲んだ後のショック死が社会問題になったことがありました。ただし、「アスピリン」は作用もほぼ同じでピリンという字もついていますが、「ピリン系」ではありません。

ペニシリン

微生物が分泌する化学物質で、他の微生物の生存や繁殖を妨げる物質を抗生物質と言います。ペニシリンは世界で最初に発見された抗生物質でした。

ペニシリンは素晴らしい薬です。出てきた当時の薬効は眼を見張るものがありました。それだけにペニシリンにはもっともらしい都市伝説が着いて回ります。

都市伝説A

ペニシリンと言えば出てくるのが次の話です。第二次世界大戦の真っ最中、イギリス軍とヒトラー率いるドイツ軍が戦っている時です。イギリス宰相のウインストン・チャーチルが肺炎に罹り、重体になったというのです。医療チームの賢明な治療にも拘わらず、チャーチルの容態は悪化を辿ります。

ついにこれまでか、と思われた時に医療チームに注射薬の入った1本のアンプルが届きました。封をとき、チャーチルの腕に注射薬が注入されました。それがアレクサンダー・フレミングが開発した抗生物質ペニシリンだったのです。

チャーチルの容態はみるみる軽くなり、数日のうちに肺炎は全快し、チャーチルは復帰してヒトラーと戦い、イギリス軍は戦勝し、第二次世界大戦は連合軍の勝利のうちに終結したというお話です。

私の年代の方々がよくご存知の話です。ところがこれは都市伝説なのだそうです。チャーチルが肺炎に罹り重体に陥ったのは事実のようですが、そのチャーチルを救ったのはペニシリンではなく、当時の合成抗菌薬サルファ剤だったということです。

●アレクサンダー・フレミング

都市伝説B

日本にも日本発の都市伝説があります。それは、ペニシリンに命を救われた世界初の人物は、徳川家康ではなかったかというものです。家康は、小牧・長久手の合戦の最中、おそらくは傷口から黄色ブドウ球菌のような菌が入り、背中に大きな腫れ物ができてしまいました。日に日に悪化していく容態を見て、家臣の一人が笠森稲荷にお参りに行き、「腫れ物に効く」といわれる土団子を持ち帰ったのだそうです。アオカビの生えたその団子を腫れ物に塗りつけたところ、おびただしい膿が吹き出て腫れ物は治癒したといいます。これは、アオカビに含まれたペニシリンのおかげに違いない、というものです。

これは理屈として全くありえない話ではありませんが、さすがに土団子に多少生えた程度のアオカビが、家康の体内に巣食った細菌を全滅させるほどのペニシリンを作っていたとは考えにくいです。家康のペニシリン伝説は、「話としては面白い」という程度のものでしょう。

フレミングの失敗と発見

ペニシリンを発見したのはイギリスの医師、アレクサンダー・フレミングです。彼は、第一次世界大戦では軍医として従軍しましたが、戦後は大学に戻り、ブドウ球菌という細菌の研究をしていました。

細菌の研究をするためにはまず、実験のために使う細菌を培養し、増殖させなければなりません。しかし、1928年のある日、フレミングは培養器の中にアオカビが発生するという失敗を起こしてしまいました。実験で使う細菌は純粋なものでなければなりませんので、このアオカビに汚染された細菌は廃棄する以外ありません。

フレミングは当然、この試料を捨てようとした

●ペニシリン

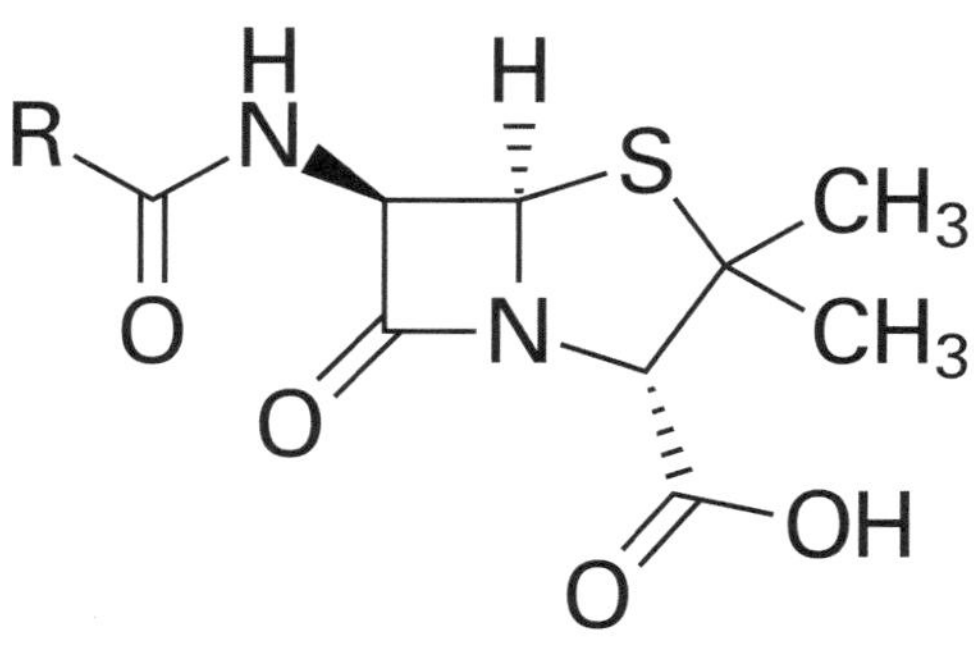

のですが、よく見るとアオカビの周囲だけに細菌が繁殖していないことに気がつきました。不思議なので顕微鏡で調べてみたところ、このアオカビが分泌する液体が細菌を溶かしているということがわかりました。

そこでアオカビをいろんな細菌に試したところ、有害な細菌によく効くし、目立った副作用もありませんでした。そこでフレミングは、アオカビの分泌する物質にペニシリンという名前をつけました。新しい医薬品を発見した感動を感じたのでしょう。

大量生産

しかし、残念ながらこのペニシリンは、一度はみんなから忘れ去られてしまいました。それは、ペニシリンをアオカビから抽出することは大変に難しく、しかも医療の現場での利用もうまくいかなかったからでした。

ところが、フレミングの発見から10年以上もたったころ、オックスフォード大学のハワード・フローリーとエルンスト・チェインが抗生物質を研究しているときに、フレミングの論文を見つけました。二人は、ペニシリンを実用化できないかと考え、アオカビの分泌液からペニシリンを抽出する方法と大量生産する方法を研究することにしました。その結果、純粋なペニシリンを抽出することに成功したのでした。この純粋ペニシリンの効果は目覚ましく、動物実験ではつぎつぎと成功をおさめました。1944年6月には、「史上最大の作戦」ともいわれたノルマンディー上陸作戦が行われ、ペニシリンは大勢の戦傷者に対してその真価を遺憾なく発揮しました。運ばれてくる戦傷者は、ペニシリンのおかげでほとんどガス壊疽や敗血症を起こすことなく、無事回復したのでした。

それまでの戦場の常識は一変し、フレミングは英雄として祭り上げられていくこととなります。1945年には、フレミング、フローリー、チェインの3名が、共同でノーベル生理学・医学賞を受賞します。量産研究開始からわずか数年のうちに、ペニシリンは世界の歴史を大きく変えたのでした。

抗生物質の効果

抗生物質は細菌の細胞壁を壊すので、細胞は自身の形態を保つことが出来なくなり、溶けるように崩れて死んでしまいます。ということは、細胞壁をもたない病源体には効果が無いということです。

細胞壁というのは細胞膜の外側に在る、セルロースでできた硬い構造物のことです。動物は骨格で自分の体を支えますが、植物は骨格が無いので細胞壁で体を支えるのです。細菌は植物ではありませんが細胞壁をもっています。

しかし生物でないウイルスには細胞壁どころか、細胞構造そのものがありません。タンパク質でできた容器（カプシード）の中にＤＮＡやＲＮＡの核酸が入っているだけです。そのため、ウイルスには抗生物質は効果がありません。

しかし病原菌の側も、手をこまねいているばかりではありません。何回も抗生物質を使われると、抗生物質を投入しても死なない細菌、いわゆる「耐性菌」が登場してきたのです。

たとえば第二次世界大戦後、赤痢が各国で流行し、サルファ剤での治療が行われました。しかし１９５０年ごろにはサルファ剤の効かない赤痢菌が出現し、さらに１９５５年には、当時知られた４種の抗生物質がいずれも効かない、四剤耐性赤痢菌が登場しています。

人類の側も次々に新薬を送り込んではいますが、そのたび数年で耐性菌が登場します。これは、人間が次々に新しい抗生物質を投入することで、弱い菌を滅ぼし、強い菌を鍛え上げていると言って良い状況です。

特に、抗生物質を大量に用いる病院内は、鍛えられた強力な細菌がはびこりやすくなります。ＭＲＳＡ（メチシリン耐性黄色ブドウ球菌）をはじめとした多剤耐性菌は、しばしば院内感染を引き起こし、大きな問題となっています。

長らく耐性菌が出現せず、「鉄のゴールキーパー」となってきた抗生物質であるバンコマイシンにも、すでに耐性菌が現れています。現在は、もはや治しようのない細菌感染症が出現しても、全くおかしくない状況にあります。

抗生物質の濫用が、耐性菌出現の大きな原因となっているのは明らかです。たとえばアメリカでは、抗生物質の80％が家畜などの動物に使用されています。人類が長らく思い描き、20世紀後半になってようやく手の届きかけた「病のない世界」の夢は、あるいは再び幻として消えていく運命にあるのかもしれません。

LSD

薬剤は病原菌を退治して私たちの体を治してくれます。しかしある種の薬剤は病原菌に作用するのでなく、私たちの体の方に作用します。そのような薬剤の代表は毒物でしょう。毒物は病原菌には何もせず、私たちの体の方に作用して私たちの命を奪います。そのような毒物の一種に、人間の体に作用するのではなく、脳に作用するものがあります。いわゆる、麻薬、覚せい剤、危険ドラッグなど一般に「抗精神剤」といわれるものです。

魔女裁判

中世のヨーロッパには魔女が居たことになっています。魔女は天辺が尖って鍔広の黒い帽子をかぶり、黒いマントで身を覆い、箒に乗って空を飛びます。深い森の一角に集まって大きな鍋に湯を沸かし、そこにカラス、カエル、ヘビ、キノコなどを入れて魔女の鍋料理を作ります。

これは映画や幻想ではありません。実際にいたのです。というのは、このような魔女は捕まえられて教会の「正式な裁判」に掛けられ処罰されていたのです。教会の裁判ですから、正式の裁判記録が残っています。何年何月何日に、誰が何をして裁判に掛けられ、どのような罰を下されたか、ということがつぶさに記録されているのです。

その記録を見ると、魔女裁判は暑く湿度の高い年に多く開かれていることがわかります。そしてこのような年には「聖アントニウスの火」という病気に罹る人の数も増えています。「聖アントニウスの火」というのは、カトリックの聖人である聖アントニウスが昔、故郷のエジプトに修道院を建てようとした時に、それを妨げようとする悪魔によって与えられた色々の苦しみのことを言います。

この病気に罹った人は体に吹き出物ができ、それがまるでやけ火箸を当てられるように痛いのだそうです。治しようは無く、たった一つの治療法はエジプトまで旅をして、聖アントニウスの修道院にお参りをすることだけなのだそうです。

麦角アルカロイド

近年、この「聖アントニウスの火」の正体が明らかになりました。なんと食中毒だったのです。主にライムギ寄生する麦角菌（ばっかくきん）という細菌で、麦角アルカロイドという毒素を分泌します。アルカロイドというのは、植物が分泌する化学成分のうち、アルカリ性のものを指す言葉です。アルカロイドは薬性にしろ、毒性にしろ、人間に大きな影響力を持つものが多いです。この毒素に汚染された麦類を食べるとこの病気になります。そしてこの菌は暑くて湿った夏に繁殖するのです。

この菌は聖アントニウスの火のように、体に害を与えるだけでなく、脳にも害を与えます。つまり、妄想や幻想を見るようになり、あらぬことを口走ったりするのだそうです。つまり中世の魔女は魔女なんかではなく、気の毒な麦角菌食中毒の患者だったのです。裁判に掛けられるなどというのはとんでもない間違いで、本来は病院に隔離されて手厚い看護を受けるべきだった人たちだったのです。

この菌に当たった人がエジプトでお参りをすると治ったと言われるのは、その長い旅行期間のあいだ、麦角菌で汚染された出身地のパンから遠ざかったせいだと言われています。

麦角食中毒は日本でも起こったと言われています。第二次世界大戦末期、日本は食料不足に悩まされていました。その様な時に福島県の磐梯山麓の笹に大量の実が成ったのだそうです。笹や竹は数十年に一度だけ花を咲かせて実を着け、その後枯れてしまうといいます。

人々は、この実を集めて粉に引き、団子か何かにして食べました。ところが、この実が麦角菌に汚染されていたのです。麦角アルカロイドは子宮を収縮する作用があるそうです。そのせいか、その地方では流産する人がたくさん出たといいます。

LSD発見

スイス人化学者アルバート・ホフマンは麦角アルカロイドを研究していました。彼は麦角アルカロイドを化学的に合成しようと研究していました。麦角菌の分泌物はリゼルグ酸ジエチルアミド（LSD）であり、その分子構造も明らかになっていました。

しかし実験は失敗ばかりで中々合成は成功しませんでした。1938年、彼はその研究の中で25番目の実験にトライしました。今度こそと思ったのですが、残念ながらこれもまた失敗でした。ところが実験中に指に着いたＬＳＤが皮膚を通して浸透したせいか、ホフマンは眩暈を感じました。こんな経験はありませんでした。

これはおかしいと思ったホフマンは翌日、意を決して少量のＬＳＤを服用してみました。命をかけた実験です。その結果、それまでに経験したことの無い、強い幻覚を覚えたのでした。それは、めくるめくような色彩が万華鏡のように動き、きらめくようなものだったと言います。

これがきっかけになってＬＳＤの覚せい作用、幻覚作用が広く注目されることになりました。この効果に注目したのは精神科医でした。研究が進むにつれて、ＬＳＤの危険性も明らかになってきました。すなわち、ＬＳＤは他の覚せい剤と同様の耐性と

●LSD

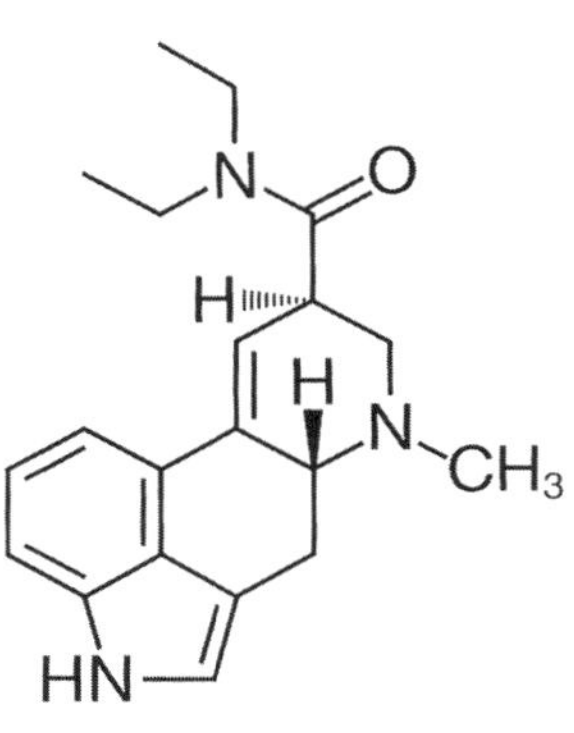

依存性を持っていたのです。一度ＬＳＤの服用を始めてしまうと、抜け出ることは容易でありません。また、止めてしまった後にもフラッシュバックが訪れます。このような繰り返しで、精神的な疾患にはまり込んでしまうのです。

やがて１９６０年代に入ると、ベトナム戦争の影響や自然回帰運動、更には東洋文化志向などが重なった結果、ヒッピーと呼ばれる若者集団と、彼らが主張するヒッピー文化が社会を席捲しました。このヒッピーたちが時に使用したのがＬＳＤであり、この運動を通じてＬＳＤは若者の間に広く浸透したのでした。

サリドマイド

ここでご紹介する事例は、間違いで済むような話ではありません。当事者が間違いと言い通すならそれでも良いのかもしれませんが、その犠牲になった方々、また、その間違いが明らかになった後にもその間違いを正そうとしなかった方々の想いはどのようなものでしょう。ここで紹介するような悲惨な事例はあとにも先にも無いことでしょう。いや、二度とあってはならないことです。被害者の方々は今も決して無くならない、この重い十字架を背負って生き続けておられるのです。

催眠剤

サリドマイドは、一般市販薬品の名前です。元々はテンカンの痙攣を抑える薬として1957年に西独のグリュネンタール社が開発発売した医薬品ですが、睡眠作用があることから、「コンテルガン」の名前で睡眠薬として売り出されました。

日本では当時、物質特許の制度が無かったため、同じ化学物質でも製法が異なれば特許に関係なく販売することが許されていました。そのため大日本製薬はコンテルガンをグリュネンタール社とは別の合成経路で合成し、「イソミン」の名前で1958年に売り出しました。（しかし、日本では一般に「サリドマイド」の名前で通っていますので、本書でも「サリドマイド」としておきます）

ところがサリドマイドが発売されて間もなく、ヨーロッパの小児科医の間で妙な噂が飛び交い始めました。それは、「最近妙な奇形児が生まれている」というものでした。その奇形児というのは、赤ちゃんの手足が欠損するという悲惨なものだったのです。この症状は、アザラシの赤ちゃんに似ているということから、一般にアザラシ症候群という残酷な名前で呼ばれることになりました。

そして、そのような奇形児が生まれた背景には妊娠初期にコンテルガンを服用しているという共通項があるようだというのです。この噂はヨーロッパ中に広がりました。

学会発表

1961年11月18日、ついに西ドイツのW・レンツ博士が学会でサリドマイドと奇形の関係を発表しました。すると、その直後の11月26日、グリュネンタール社は市場に出回ったコンテルガンの回収を開始しました。きっと会社でもサリドマイドの噂は知っていたのでしょう。

しかし、日本でサリドマイド薬の出荷が停止されたのは翌年の1962年5月17日であり、製品回収が指示されたのは西ドイツに遅れること290日あまりの9月18日のことでした。

サリドマイド薬の発売から回収までの間に発生した被害者の数は、西ドイツ3049人、日本309人、イギリス201人、カナダ115人、スウェーデン107人、台湾38人など全世界に及び、その総数はおよそ3900人に上りました。奇形胎児の30%は死産だったと言われているので、胎児の被害者までいれると、被害者は5800人に上るといわれる大惨事となりました。

原因

調査の結果、奇形児出産の原因はサリドマイドの副作用であることがわかりました。結果的には、臨床試験が不十分なまま市販に踏み切ったという製薬会社の認識の甘さに基づく失敗の責任であり、それを認可した国の行政の失敗という責任も問われるべきでしょう。しかし、薬剤の副作用は薬剤そのものが薬剤として不適格、失敗品だったということであり、今後、同じ過ちを繰り返さないためにも、その原因は究明しておかなければなりません。

鏡像異性体

有機化合物には鏡像異性体という現象があります。右手と左手を見てみましょう。右手と左手は明らかに違う手です。しかし、右手を鏡に写すと左手と同じに見え、左手を写すと右手と同じに見えます。このように、互いに違うものでありながら、鏡に映すと同じものになる関係にあるものを互いに鏡像といいます。図の化合物A、Bを見ると、どちらも中央の炭素Cに４つの互いに異なるグループ（置換基）W、X、Y、Zが結合しています。炭素と各置換基を結ぶ線に３種類がありますが、直線は紙面の上に載っており、点線は紙面の奥に、楔形は紙面から手前に飛び出しているものとすると、化合物A、Bはそれぞれ立体的な化合物であることがわかります。その形はちょうど、海岸においてある波消しブロックのテトラポッドに似ています。

ところで、AとBは互いにどのように回転させても、重ねあわせることはできません。すなわち、AとBは互いに全く異なる化合物なのです。このような関係にある分子を互いに光学異性体といいます。光学異性

●鏡像異性体

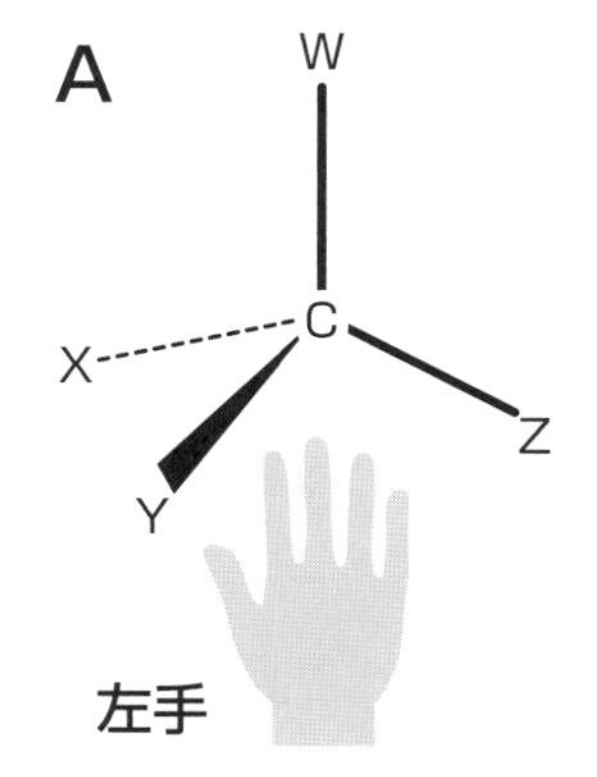

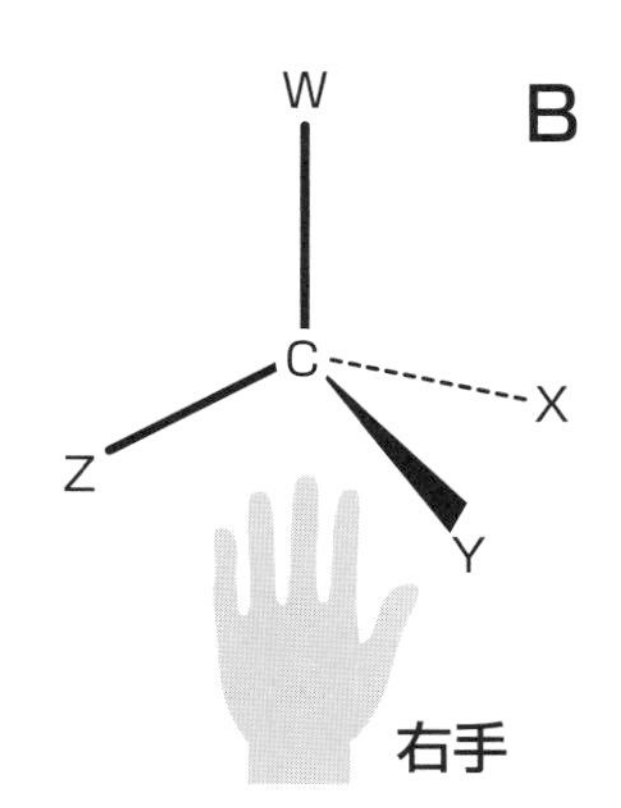

体のAとBは、化学的な性質は全く同じです。したがって化学合成するとAとBは1：1の比率の混合物とした生成してきます。しかし、光学的な性質と生物に対する影響は、AとBとで全く異なるのです。これがサリドマイドの悲劇の元でした。

サリドマイドの構造

図はサリドマイドの構造です。二つ書いてあるのはサリドマイドに光学異性体があるからです。このうち片方は多分、睡眠薬なのでしょう。そしてもう片方が悪魔の薬なのでしょう。それなら催眠作用のある片方だけを分離して利用すればよかろう、誰しもが考えるでしょう。ところが、光学対称体は化学的性質が全く同じなので、化学的な手段で分離する

●サリドマイドの構造

A　B

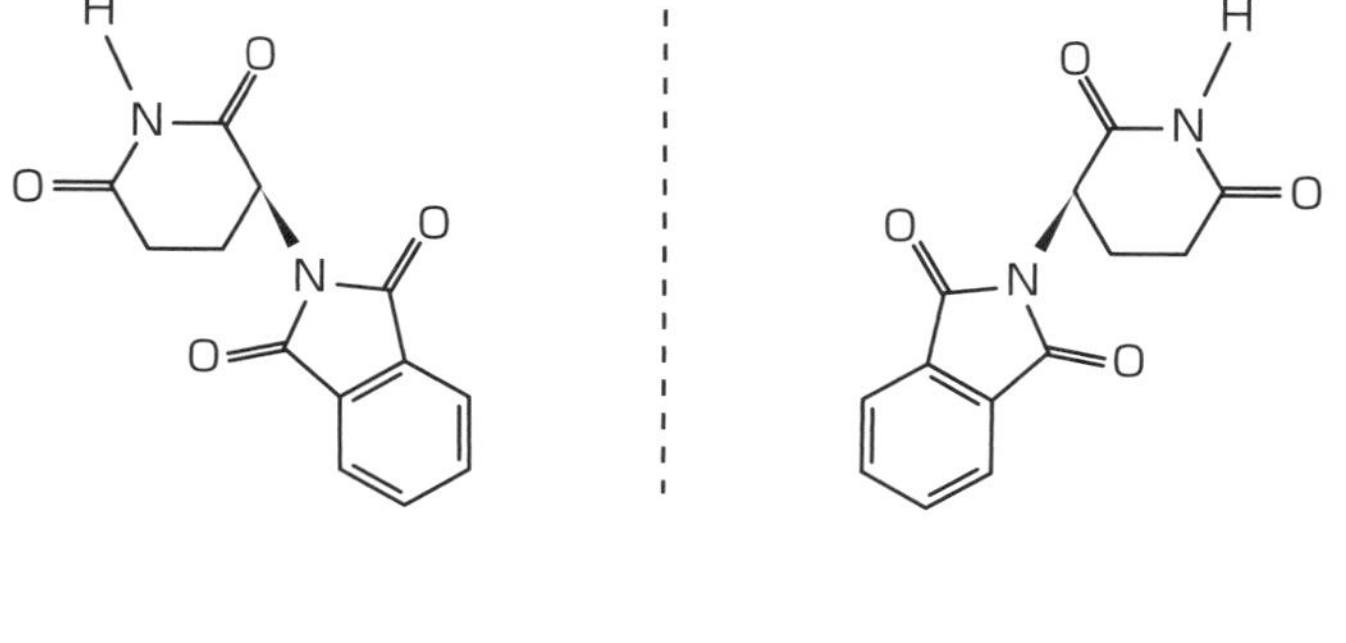

H N O O N O O

ことはできません。

その上に、悪魔の薬には常識が通用しないのです。例えばAが睡眠薬だとして、Aだけを服用したとしても、Aは体内でBに変化するのです。これはBを服用しても同じです。BはAに変化してしまいます。すなわち、Aを飲もうとBを飲もうと、一定時間がたつとAとBの1：1混合物に変化してしまうのです。このため、悪魔の薬はAなのかBなのかも決定できないような状態です。

悪魔の微笑み

ところが、悪魔の薬として葬り去られてかに見えたサリドマイドが再び登場してきたのです。しかも今度は天使の薬としてです。

その後の調査で、サリドマイドの副作用は「血管新生阻害作用」であることがわかりました。そのため、胎児の四肢の毛細血管の成長を阻害し、四肢の欠損を生じさせてしまったのです。それでは、この薬をガン細胞に与えたらどうなるでしょう。ガン組織の毛細血管新生が阻害され、ガン組織の滅亡、すなわちガンの撲滅になるのではないでしょうか。

実験の結果、サリドマイドには抗ガン作用が認められたのです。それだけでなく、エイズウイルスの成長阻害、糖尿病による網膜症の改善、更にはハンセン病の鎮痛剤としても効果があることがわかったのです。

日本は2005年に、サリドマイドを「希少疾病用医薬品」に指定しました。今後医薬品としての承認に向かって進んでいくことでしょう。しかし、過去の過ちを二度と踏まないように厳重な管理、監視が必要なことは言うまでもありません。

Chapter. 4
失敗から生まれた発明

加硫ゴム

鉛筆、消しゴム、紙、ノート、クリップ。机の上に転がっているものだけでもずいぶんたくさんのものがあります。当たり前のことですが鉛筆は木になってはいません。つまり、私たちが毎日何気なく使っているものの多くは、自然界には無いものです。自然界に無いということは、誰かが発明し作ったものであるということです。発明するためにはその人は、考えに考え、努力するだけ努力して、あるだけの知恵を絞り出して考えてくれたことでしょう。

しかし中には、別に考えもしないで、作ってしまったものもあるかもしれません。あるいは、日常の何気ない間違い、失敗から生まれた発明もあるのかもしれません。ここではそのような、失敗から生まれた発明品を見てみましょう。

発明のチャンス

ゴムはゴムの木の幹に傷をつけると滲みだしてくる白い樹液を濃縮したものです。これを天然ゴムと言います。現在では化学的に作りだした合成ゴムの方が多く使われていますが、合成ゴムにも化学的に見て天然ゴムと全く同じ分子構造のイソプレンゴムもあります。

天然ゴムは19世紀の初めごろから素材として広く利用されていました。しかし、ゴムは温度によって性質が大きく変化します。すなわち、寒い冬には固まってカチンカチンに硬くなり、反対に暑い夏にはダラーッとだらしなく伸びてまるで溶けたようになります。そのためゴムを使った製品の評判は決して良くはありませんでした。

アメリカの発明家チャールズ・グッドイヤーは、この「夏の暑さに溶け、冬はカチンコチン」になるゴムをなんとかできないかと考えました。そして色々の実験を試行錯誤しました。その様な実験の一つとして、ゴムにいろいろな試料を混ぜてみました。アルコール、粘土、ゴム以外の植物の樹液など、思いつくものを次から次と混ぜて実験を行いました。来る日も来る日もそのような実験を繰り返していたグッドイヤーは、ある冬の寒い日、ゴムに硫黄を混ぜてみました。そのゴムをいじっているうちに脇に置いたストーブにゴムを接触させてしまいます。ところが、ゴムは溶けませんでした。熱いストーブに触れたのですから、普通のゴムなら溶けてしまうところです。ところが硫黄を混ぜたゴムは溶けなかったのです。グッドイヤーは、この失敗から硫黄を混ぜたゴムが耐熱性を持つことを見い出したのでした。

ゴムに硫黄を加えることを加硫と言います。その後も研究を続けたグッドイヤーは、１８４４年に加硫ゴムの特許を取得しました。

加硫の原理

天然ゴムは天然高分子です。高分子というのは小さな単位分子が何百個も何千個も繋がった長い分子です。天然ゴムはイソプレンという炭素5個からできた簡単な分子でできた高分子です。この高分子は普段は何本もが絡まってオマツリ状態になっています。

ところがこの塊を伸ばすと、オマツリが解けて高分子はゾロゾロと伸びてきます。

そして、伸びるだけ伸びるとプツンと切れてしまいます。チューインガムを思い出してください。噛んで引っ張ると伸びますが、そのまま切れてしまいます。決して輪ゴムのように伸び縮みはしません。

チューインガムは天然ゴムのままです。輪ゴムは硫黄を加えた加硫ゴムです。なぜ、天然ゴムは伸びるだけで縮みはしないのに、加硫ゴムは伸び縮みするのでしょうか?

それは、硫黄がゴムの高分子の間で結合して、高分子の分子間に橋掛け構造(架橋構造)を作るのです。そのため、加硫されたゴムはある程度伸びるとそれ以上伸びることはなくなり、引っ張る力を除くと元の状態に戻るのです。

天然ゴムにたくさんの硫黄を混ぜると、弾力が無くなって硬い固体になります。これは熱に強く、薬品

●加硫

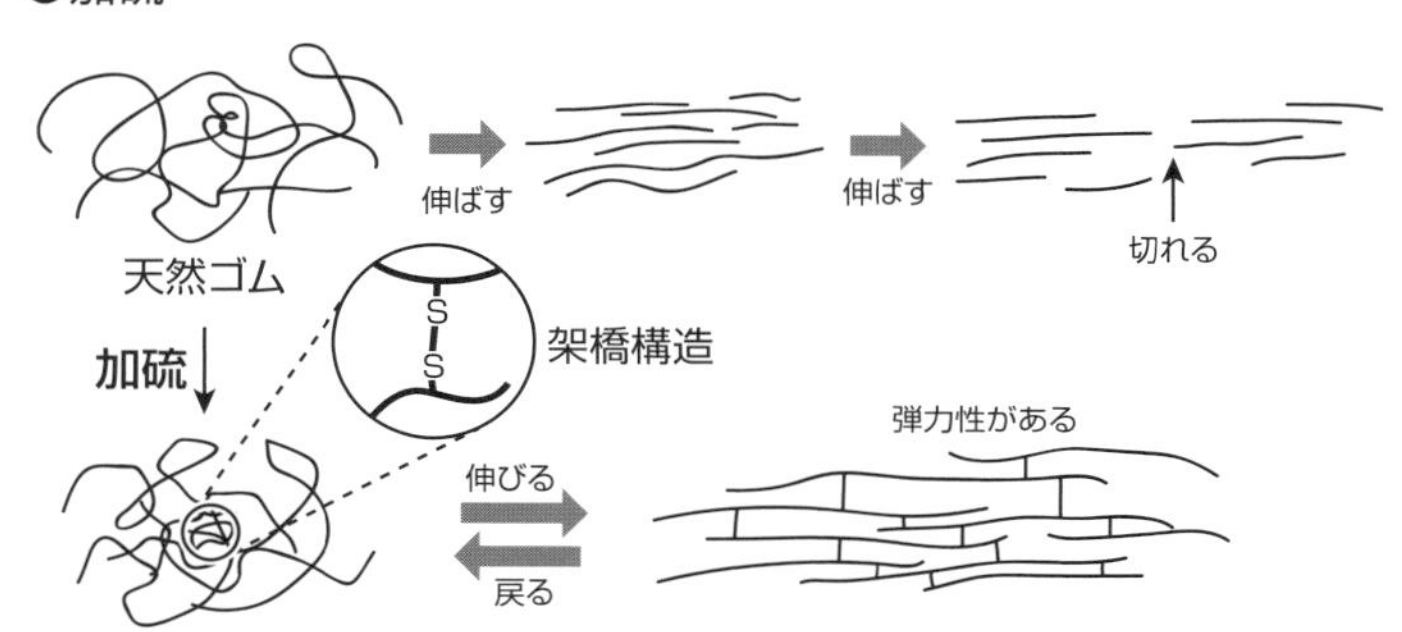

にも強く、しかも絶縁性を持った優れた素材です。そのため、この素材は「エボナイト」と呼ばれて食器、電気製品、あるいは万年筆の軸などとして多用されました。日本では「万年漆器」と呼ばれて食器に利用されました。エボナイトはまだプラスチックの無い時代に、現在のプラスチックのように利用された素材でした。

万年筆

万年筆は「毛細管現象」を利用して水性のインキで紙に文字を書きます。毛細管現象というのは、毛のように細いガラス管の中を、水が昇る現象で、ガラスと水分子の間に生じる分子間力という一種の化学結合による現象です。

万年筆を使う人は少なくなり、現在はサインペンやボールペンが利用されますが、サインペンで字を書く原理も万年筆と同じように毛細管現象を利用しています。

発明のチャンス

この毛細管現象を利用した万年筆を世界で最初に作ったのは、ルイス・エドソン・ウォーターマンという人でした。彼はニューヨークで保険外交員をしていました。

ある日、大口契約を取ったウォーターマンが契約書にサインをしようとすると、ペンからインクが漏れて契約書が台無しになってしまいました。慌てたウォーターマンが会社に戻って契約書を作り直し、顧客を訪問してみると何ということでしょう。その僅かの隙をライバル社が狙い、契約を取り付けた後でした。ウォーターマンは折角の契約をライバル社に奪われてしまったのです。怒り心頭のウォーターマンは「インク切れのいいペンを作ってやる」ということで一念発起しました。色々研究を重ねた結果、1883年、ついに毛細管現象を利用した万年筆を作り上げたのでした。

分子間力

原子と原子は化学結合によって結合し、無数と言って良いほどの種類の分子を作ります。宇宙はこのような原子とその原子が結合して作った分子からできています。化学結合にはイオン結合、金属結合、共有結合などいくつかの種類があります。

一般に原子は結合を作るが、分子はそれ以上結合を作らないと言われます。しかしそんなことはありません。分子も結合を作ります。ただし、分子が作る結合は、原子が作る結合よりも結合力が弱いので、一般に結合と言わずに「分子間力」と言います。分子間力には、水素結合、配位結合、ファンデルワールス力などいくつかありますが、ここでは最も有名な水素結合を見てみましょう。

水素結合というのは水分子H_2Oと水分子を結合させる（結びつける）結合です。原子の結合によってできた水分子同士がなぜ、また結合するのかというと、水分子は特殊な性質を持っているからです。

電気陰性度

原子の中には電子を失ってプラスに荷電した陽イオンになりやすいものと、反対に電子を受け入れてマイナスに荷電した陰イオンになりやすいものがあります。原子が持つ電子を引きつける力の大小を電気陰性度と言います。電気陰性度が大きい原子ほど、電子を引きつけてマイナスに荷電します。

酸素は電気陰性度の大きい原子でマイナスになりやすく、反対に水素は電気陰性度が小さく、電子を離してプラスになりやすい原子です。このように正反対の性質を持つ原子からできた水分子では、酸素原子が水素原子から電子を奪います。この結果、水分子H－O－Hでは、酸素がマイナスに荷電し、水素がプラスに荷電します。このような分子を一般にイオン性分子と言います。このような水分子が2個近付いたらどうなるでしょう？　片方の酸素原子ともう片方の水素原子との間に静電引力が発生して、互いに引き合うことになります。この引力が水素結合と言われる結合の本質なのです。この結果、水の液体中ではたくさんの水分子が互いに水素結合を作りあって巨大な水分子集団を作ります。このような集団を一般にクラスターと言います。

水分子の結晶である氷中では、たくさんの水分子が三次元に渡って規則的に積み重なって巨大集団を作っていますが、この水分子は全てが均等に水素結合し、ダイヤモンドと同じ結晶構造を作っています。水分子がH_2Oという単独の分子として存在するのは気体、水蒸気状態だけと言って良いでしょう。

●水素結合

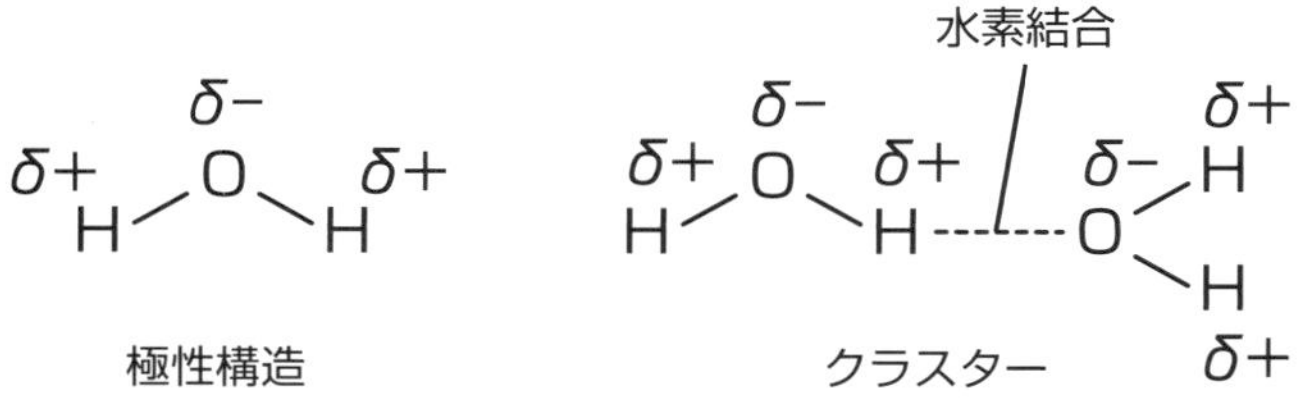

電子レンジ

昔は炭火を燃やすコンロや薪を燃やす竈(かまど)で料理をしたものです。その後、竈はすっかり姿を消し、ガスコンロや電気コンロになりました。現在では電気コンロも姿を消し、電子レンジやIHヒーターとなりました。特に電子レンジは便利であり、キッチンにはなくてはならない製品になりました。

電子レンジの原理

先に見たように、水分子H－O－Hの構造は酸素を真ん中にして「く」の字形に曲がっています。そして水素原子はプラスに、酸素原子はマイナスに荷電していますから、水分子はプラスの部分とマイナスの部分を持ったイオン性（極性）分子です。

このような分子に電圧（電場）をかけたら、同じ電荷同士は反発し、異なる電荷は引き合うというクーロンの法則によって、水分子のプラス部分は電場のマイナス方向を向き、分子のマイナス部分は電場のプラス部分を向きます。

このような状態のときに、交流のように、電場の向きを逆転させたらどうなるでしょう? 水分子もそれに応じて回転することになります。この回転を1秒間に何万回という高速で起こさせたらどうなるでしょう。水分子は互いに摩擦を起こして高熱になるでしょう。

電子レンジの中にはマグネトロンという高周波(マイクロ波)を発射する真空管が装着されています。電子レンジで使う高周波は1秒間に24億5000万回も電場の向きを変換します。それに連れて水分子も同じ回数だけ回転します。水分子を含む物体は、それが生物であろうと食品であろうと、直ちに高熱となるでしょう。

●電子レンジの原理

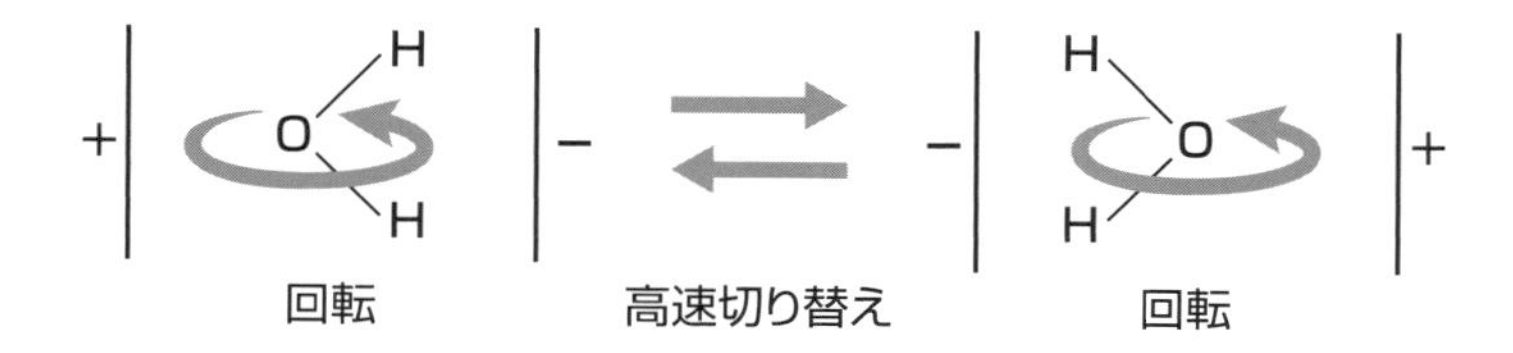

最新兵器開発計画

この原理を知った日本軍幹部は、これを兵器として利用することを計画しました。マイクロ波を照射して航空機などを遠隔攻撃しようというものです。これは終戦間近になった1943年に開始されたと言います。計画は順調に進み、終戦前年の1944年に実験機は完成しました。初の実験対象となったのはサツマイモだったそうです。見事、焼き芋となって実験は成功でした。その後、実験は更に進み、5mの距離からウサギを殺すことにも成功しました。しかし、1万メートル上空を飛行するアメリカ軍のパイロットを攻撃するには、とてつもなく強力なマグネトロン真空管を開発しなければなりません。その上、大電力も必要で、東京都すべての電力を注ぎ込まないと実用化は不可能とわかった所で終戦となってしまいました。

応用のチャンス

マグネトロンが兵器に利用できることを思いついたのはアメリカ軍も一緒でした。

アメリカ軍もマグネトロンを開発し、研究していました。

１９４５年、たまたまマグネトロンの前にいた技師が、ポケットに入れておいたチョコレートがとけていることを発見しました。これがきっかけになって、兵器として開発していたマグネトロンを食品を温めることに利用することを思いつきました。マグネトロンを応用した電子レンジが製品化したのは１９４７年のことでした。最初の実験台になったのはポップコーンであり、これは成功したそうですが、2番目の実験台になった卵は爆発してしまったそうです。

この時作った最初の機械は、高さが１８０㎝もある巨大なもので、一般家庭のキッチンにおけるようなものでもなく、売れ行きも芳しくありませんでした。しかし、電子レンジが便利なものであることは一般に知れ渡りました。そのため、小型化、低価格化に向けての研究が進み、徐々に一般家庭に浸透していきました。

この流れを加速したのは日本企業の参入でした。持ち前の技術力で小型化し、さらに低価格の製品を相次いで発表しました。一時、アメリカの電子レンジの全ては日本製であると言われるほどの活況を見せました。

白熱電球

人類は長い間、暗い夜を過ごしてきました。大昔、洞窟で暮らしている頃、夜寝ている時に忍び込もうとする野獣もいたことでしょう。彼らを威嚇して追い払うのは洞窟の入り口で燃やし続けていた火であり、これがまた明りになっていたことでしょう。

夜の明かり

人類の夜の明かりは長い間、薪(たきぎ)(松明(たいまつ))を燃やす篝火(かがりび)でした。日本でも室外の明かりは江戸時代の初めころまでは松明が主だったのではないでしょうか。篝火の下で舞う薪能は幽玄なものです。明かりは「明るければ良い」というものではないと思い知らされます。

欧米の薄暗い室内に比べて、日本の蛍光灯に照らされた明るい室内は、まるでオフィスのようで趣に欠けるきらいもあります。

室内の明かりはやがて行燈などの油を燃やす照明、あるいは蝋（ワックス）を燃やす蝋燭に代わっていきました。江戸末期に日本を訪れたペルーの表立った目的は、捕鯨船の寄港地を求めたものでしたが、アメリカが捕鯨で欲しかったのは鯨の油であり、肉ではありませんでした。鯨の油を燃やして明りにしていたのです。日本では鰯の油、ナタネ等の植物油が用いられたと言います。

蝋燭は作るのに手間がかかり、高価なものでしたので神社仏閣や宮廷などで用いられました。ベルサイユ宮殿のシャンデリアには蝋燭が灯されていたのです。毎晩高い脚立に乗って蝋燭を付け替える係りの人は、大変な仕事だったことでしょう。蝋燭は高価でしたから、燃え残った蝋燭は集めて新しい蝋燭に作り替えて再利用しました。蝋燭が一般家庭で用いられるのは結婚式などの特別の場合だけでした。

近世になるとヨーロッパの都会では、街路灯はガス灯に代わりました。産業革命のころのロンドンはガス灯の明かりで明るく灯されていたのです。

エジソン登場

そのような時に登場したのがアメリカの発明王、トーマス・エジソンでした。彼は細い金属に電気を流すと発熱して明るく輝くことを発見しました。この現象を利用したら暗い夜を照らす照明、白熱電球ができるのではないか、そう考えたエジソンは研究に没頭しました。

しかし、実は白熱電球を最初に発明したのはエジソンではありませんでした。イギリスのスワンが1879年2月に最初の白熱電球を発明しています。しかし、これは電球の寿命が短か過ぎて実用にはなりませんでした。エジソンはスワンの電球を改良する形で1879年10月に新型白熱灯を発表しました。

●トーマス・エジソン

白熱電球の原理は簡単です。問題は電気によって輝くフィラメントの素材です。金属は電気抵抗が小さく、電気を通し過ぎるので発熱が小さく、熱くならないので輝きが少ないです。これでは照明というには暗すぎます。金属以外ではすぐに蒸発してしまい、寿命は45時間ほどと短く、これまた実用に成りません。

エジソンは木綿糸から友人の髭まで、あらゆるものをフィラメントとして試し、最後に行きあたったのが彼の机の上に置いてあった扇子でした。その骨の竹を使ったところ、200時間も使うことが出来ました。そこで、同じ竹でもより優れたものをと世界中探し回り、ついに見つけたのが京都八幡男山付近に自生する竹でした。

このフィラメントを用いると寿命は2500時間にも伸び、ようやく実用的な白熱電球が完成したのでした。

マッチ

火は大切なものです。昔も今も、人類が使うエネルギーの大部分は火から得ています。パソコンが動くのは電気エネルギーのせいであり、電気エネルギーが生まれるのは発電機が回るせいであり、発電機が回るのはタービンに蒸気が衝突するからであり、蒸気が発生するのはボイラーで燃料が燃えて出る熱のせいです。すなわち、現代社会のほとんど全てのエネルギーは火から出ているのです。

それでは火を手に入れるにはどうすれば良いのでしょう？　キッチンのガスレンジはダイヤルを回せば着火して青い焔が出ます。誕生日のケーキの蝋燭に火を灯すのはマッチです。しかし、マッチは昔はありませんでした。マッチの無い昔、人間はどうやって火を手に入れていたのでしょう。

何も無い所で火を発生させるのは意外と困難です。マッチもライターも無い、そんな所で火を起こすにはどうすれば良いのでしょうか。思いつくのは摩擦による方法ではないでしょうか。伊勢神宮などでは今もこの方法で着火しているそうですが、それなりの道具と訓練が無いと火を起こすのは相当難しいようです。江戸の時代には火打石とかいうものがあり、石を打ちあわせて飛び散る火花を鉋屑(かんなくず)などの薄い木片に燃え移らせていたそうですが、実際にやるのはやはり訓練が必要です。

現在のようにマッチをパッと擦って火を起こすには、マッチの発明を待たなければなりませんでした。

発明のチャンス

マッチの発明は、遠いむかしの17世紀に燐(リン)の発見から始まりました。この、発火温度の低い燐の性質を活用することでようやく19世紀にヨーロッパで発明されたのがマッチだったのです。

しかし、発火温度が低いとは言っても、それなりの温度が無いことにはリンも燃えてはくれません。そのきっかけになったのがイギリスの薬剤師、ウォーカーが1827年におかした失敗でした。

彼は硫化アンチモンSb_2S_3と塩素酸カリウム$KClO_3$を含んだ化学物質の入った鍋をかき混ぜていました。すると突然、鍋の中の混合物が燃え上がったのです。そこで、鍋の中身を取り出し、擦って見ると案の定、火が出ました。これがフリクションライトとも呼ばれた摩擦マッチのはじまりでした。

この混合物を細い棒の先に塗ったものは箱に詰められ、箱の上にサンドペーパーを貼付けて製品化して売り出されました。見かけは現在のマッチに近いのですが火つきは悪く、その上、火がつくと飛び散り、しかも二酸化硫黄（イオウ）SO_2の悪臭もするという今から見ると欠点だらけのマッチでした。

マッチの改良

この欠点を改善したのが黄(おう)リンを使っての摩擦マッチでした。

❶ 黄リンマッチ

黄リンは強い毒性を持ち、発火点も異常に低く扱いにくい物質でしたが、1831

年、フランスの化学者C・ソーリアは、その発火点の低さを利用して発火剤として取り入れ、塩素酸カリウム、硫黄のほか摩擦剤としてガラス粉を使い、これらを膠（にかわ）で練ったものを軸に塗ってみたところ、それまでのマッチとは違い、火つきが良く、どこで擦っても発火するマッチとして評判となりました。

しかし、黄リンマッチにも大きな問題点がありました。それは黄リンの持つ毒性と、どこで擦っても発火することです。これは便利ではありましたが、逆にわずかな摩擦、衝撃でも発火したり、温度上昇による自然発火が火災事故を併発したり、さらに製造中に黄リンを含む蒸気を

●マッチ

吸い込み「燐中毒壊疽」という職業病に冒される工員が多発し、大きな社会問題にまで発展していったのです。

なお、アメリカ西部劇などで目にするカウボーイがブーツの底に擦って火をつけるマッチは、毒性の強い黄リンを硫化リンP_xS_yに代えた硫化リンマッチであり、黄リンマッチではありません。

❷ 安全マッチ

問題を抱えた黄リンマッチに代わる新たな開発が待たれるなか、同じリンでも自然発火温度が高く、毒性もない赤みを帯びた赤リンが１８４５年に発見されました。そして１８５５年、この赤リンを用いて発火剤と燃焼剤を分離させた安全マッチが発明されたのでした。

この分離発火型の安全マッチは、頭薬(塩素酸カリウム、硫黄、ガラス粉を膠で練ったもの)を塗ったマッチ軸を赤リンが塗ってある側薬(箱の側面)にこすりつけて発火させる現在のマッチになったのです。

安全ガラス

ガラスは便利な素材ですが、危険な素材でもあります。明治の初期まで、日本の一般家庭の窓や出入り口は全てが板でできた戸（雨戸）で覆われていました。当然ですが、板は光を通しません、板戸を締めてしまった室内は真っ暗です。

夕方、あるいは朝方の光を室内に入れるには板戸を開けて、紙を貼った障子戸に置き換えなければなりません。障子戸は当然ですが弱いです。雨に当たっても、風に当たっても簡単に破れてしまいます。そのような時に日本に入ってきた板ガラスは革命的なものでした。

板戸の一部に窓を開けて、その部分だけガラスに置き換えただけで部屋の雰囲気は一変します。やがて日本家屋はガラス戸でかこまれるようになります。家の中にいて、雨風から守られながら、庭の景色を堪能できるのです。桂離宮で暮らす皇室にもまねのできない贅沢を味わうことが出来るようになったのです。

ガラスの危険性

しかしガラスには致命的な欠点がありました。それは割れやすいということです。窓に風で飛んできた石や小枝が当たっただけでも割れることがあります。割れるだけではありません。割れたら、更に砕けて破片になります。この破片がまた刀のように鋭く、皮膚に当たったら皮膚を切り裂いてしまいます。大切な人の寝室には使うのをためらってしまうところがあります。

やがて自動車が発明されます。初期の自動車のように、馬車程度の速度しか出ない自動車なら、当時の馬車と同じように、窓は開けっ放しでも良かったでしょう。しかし自動車が改良されて速度が上がると、風を塞ぐものが必要になります。

まさか運転席の窓を板で覆う訳にはいきません。外界が見えないことには運転ができません。窓はガラスで覆われます。今も昔も自動車は事故を起こします。衝突事故の場合、真っ先にやられるのはこの風防ガラスです。割れて砕けた破片が運転士の顔に飛んできます。衝突の怪我より、このガラス片による二次被害の方がよほど大きいような状態になります。

発明のチャンス

1903年、化学者のエドゥアール・ベネディクトゥスは、当時、プラスチックのように利用されていたセルロイドの原料であるニトロセルロースの研究をしていました。液体のニトロセルロースをガラスフラスコから別の容器に移し替えました。実験を終えて一休みした後、再び実験に取りかかったとき、ベネディクトゥスはこのフラスコを落としてしまいました。

「しまった!」と思ったときには時すでに遅し、フラスコは床に落ちて粉々に割れてしまいました。しかし、不思議なことに、フラスコは粉々には割れましたが、粉々に飛び散ることはありませんでした。

フラスコの内部がニトロセルロースでコーティングされ、ガラス片は飛び散らずにつながっていたのです。これが安全ガラス発明の契機でした。

この体験が元になり、ベネディクトゥスは1909年に、自動車事故によるガラスの破片で大けがをした人のニュースを聞くと、安全ガラスの特許を申請しました。

安全ガラス

安全ガラスとは、衝撃などによって破壊した場合、ガラスの破片によって人体などをできるだけ傷つけることのないように加工されたガラスのことをいいます。合わせガラスと強化ガラスの二種があります。

前者は合成樹脂膜によって2枚（またはそれ以上）の板ガラスを加熱圧着したもので、破壊しても破片が散乱しません。自動車の前面に用いたときは、衝突時に体が飛び出すのを防ぐ効用もあります。多層のものは特に丈夫で、防弾用にも使われます。

後者はガラスを加熱・急冷することによって表面に圧縮応力層を形成したもので、曲

●安全ガラス

げ強さで3倍、衝撃強さで5倍程度強化されます。また、破壊しても大部分は鋭い稜（りょう）を持たず、一辺数㎜の小さい細片となるので安全性が高いです。交通機関、建築用などに用いられます。

さらに2000年ごろより、強化ガラスの合わせガラスが防犯用窓ガラスとして広く用いられるようになりました。また、ガラス表面近傍に含まれるナトリウムイオンNa^{+}などの小さいアルカリイオンをカリウムイオンK^{+}などの大きなアルカリイオンに交換することで圧縮応力層を形成した強化ガラスも開発されています。これは、曲げ強さで5倍以上に強化されており、携帯電話や携帯用ディスプレイなどにも用いられています。

Chapter.5 失敗から生まれた食品

清酒

お酒はグルコース(ブドウ糖)を原料にして酵母によるアルコール発酵で作ります。果実はグルコースを含んでいますし、ぶどうなどは葉や果実表面に天然酵母が付着しているので、ぶどうの果実は潰して保管するだけで、勝手にお酒、ワインになってくれます。それを絞って液体部分を瓶詰にすれば完成です。

日本酒の作り方

しかし、穀物やイモ類から作るお酒はそうはいきません。穀物の主成分はデンプンです。デンプンはたくさんのグルコースが共有結合した天然高分子です。アルコール発酵の原料になるグルコースを得るためにはデンプンを分解しなければなりません。

日本酒は米のデンプンから作ります。米の表面部分はタンパク質などの不純物を含んでいるので、良質の日本酒を作るためには米の表面を削って除去する必要があります。良質のお酒を作るためには、米の重量の7割近くを削ってしまうこともあります。

このようにして精製した米を蒸して蒸米(むしまい)を作ります。ここにデンプンを分解してくれる微生物、麹菌(こうじきん)を加えて放置します。2～4週間かかると蒸米に麹菌が繁殖した「もと」ができます。

もとに水と酵母を加えてアルコール発酵を行います。この状態を醪(もろみ)といいます。醪の状態ではデンプンが麹によってグルコースになる「加水分解過程」と、グルコースが酵母によってアルコールになる「発酵過程」が同時進行しています。

発酵が終わったら「お酒」の完成です。ただしこの状態ではご飯粒が残っている状態であり、一般に「ドブロク」と言われます。ドブロクを絞って、固形分を除いたものが清酒なのですが、不溶分を完全に除くのは困難です。そのため、この状態の清酒は固形物は無いものの、お酒は透明ではなく、濁っています。これを特に「にごり酒」ということもあります。これが昔の日本酒です。

清酒誕生

この話は、酒所として有名な兵庫県「伊丹」に伝わる伝説です。そのつもりで読んでください。今から４００年以上前に、ある伊丹の造り酒屋から解雇された従業員がいました。従業員は解雇された腹いせにその店の酒の酒桶（さかおけ）に灰を放り込むという嫌がらせをしました。

酒屋は「とんだことしやがって！」と頭を抱えました。ところが翌朝、その酒桶をのぞいてみると、灰汁（あく）の効用で酒はきれいに透明になっていました。それまではにごり酒しかなかったのですが、「これはいい！」ということで清酒は伊丹の名産になったということです。

今では一般に日本酒と言えば清酒のことを指します。しかし、実は日本酒には沢山の種類があり、その分類は図のようになります。普通酒と特定名称酒の違いは米の質の差です。三等米以上の米を用いると特定名称酒になります。

本醸造酒と純米酒の違いは、製品のお酒に醸造アルコールが加えられるかどうかによります。加えたら本醸造酒になります。アルコールを加えず、米と水だけで作った酒が純米酒になります。

本醸造、吟醸、大吟醸の違いは米の精白度による違いです。米の40％以上を取り去ると吟醸酒、50％以上を取り去ると大吟醸ということになります。

簡単に言うと、日本酒には米と水だけからできた、本当の日本酒である純米酒と、アルコールを混ぜた本醸造酒と、安いくず米から作った普通酒があるということになります。国酒である日本酒に、くず米作りとか、アルコール混入などということがあってよいのかともいいますが、これは公に認められていることです。

●日本酒の種類

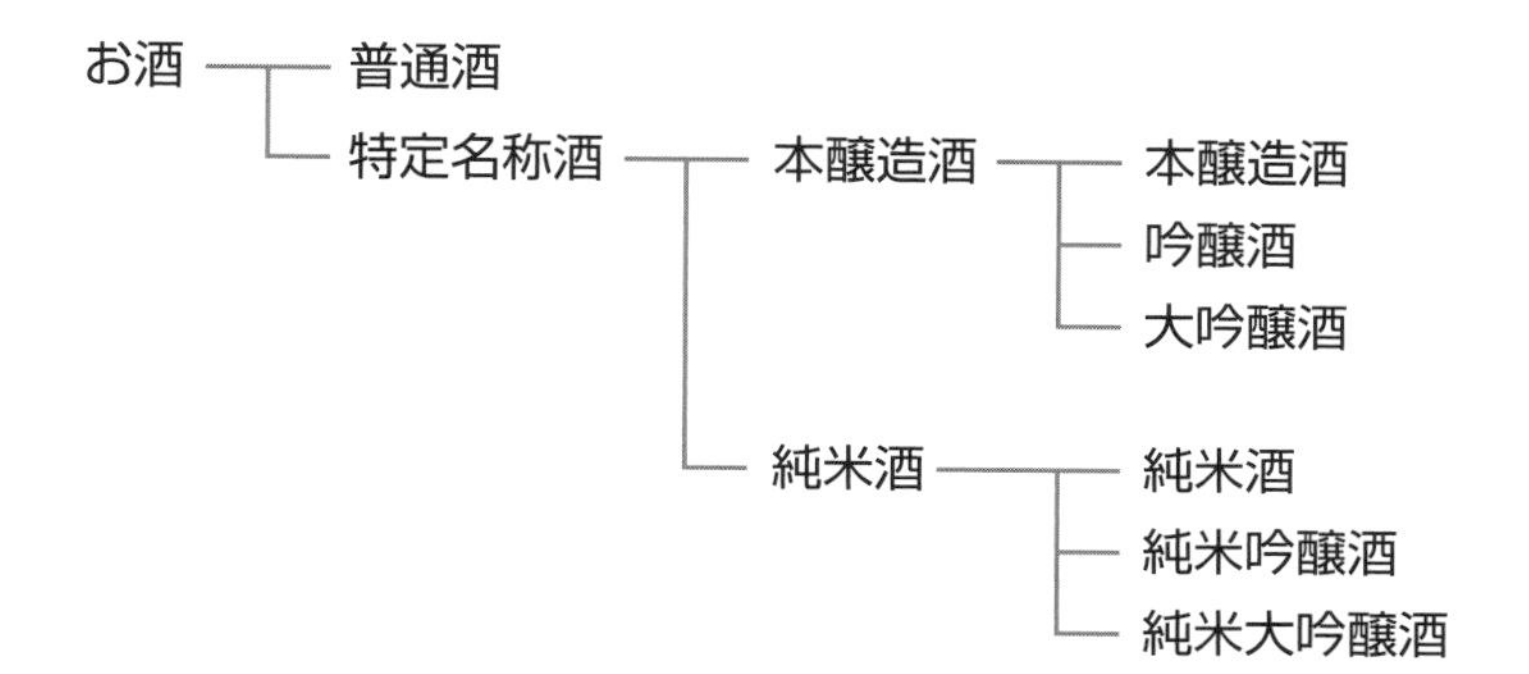

ワイン

ぶどうを原料につくるワインですが、ぶどうの品種によって赤や白といった色の違いが生まれ、製造方法によってはシャンパンやシェリーなど、さまざまな種類があります。そんな数多くの種類を持つワインの中から、失敗やハプニングによって偶然誕生した種類をみていきましょう。

貴腐ワイン

ワイン醸造者は多くの場合、ぶどう農園の農場主でもあります。毎年の作業はぶどう育成から始まります。その年は夏になると気温が高く、湿気が多く、ぶどうには適さない気候となりました。

何とかぶどうに害虫や病気が着かないようにと、細心の注意を払ってぶどうを育てたのですが、残念ながら失敗してしまいました。

ぶどうに貴腐菌という細菌が着いたのです。ぶどうの果実には果汁がいっぱい詰まっています。しかし、その果汁を保持するのはあの薄い皮一枚です。あんな薄い皮一枚でなぜ果汁を保持できるのかというと、皮の外側に白いワックスが着いています。そのワックスが果汁を保持しているのです。

●貴腐ぶどう

ところが、貴腐菌はあろうことか、このワックスを食べてしまうのです。その結果、皮は果汁を保持できず、果汁は蒸発して大切なぶどうは干しぶどう状態です。ワインどころではありません。醸造者は「ぶどうは全滅だ、俺もこれでおしまいだ」と嘆きました。

しかし彼は開き直りました。「よし、どうせ潰れるなら、この干しぶどうでワインを作ってやる。」そう言って、彼は外部の人が止めるのを振り切って、このシワシワのぶどうを使ってワインを作りました。

ところが、できたワインを一口飲んでビックリ仰天。なんとアルコール度数は普通のワインより高く、しかも糖度も高くて美味しいのです。それは貴腐菌のおかげで水分が蒸発したぶどうが普通のぶどうより成分がリッチになっていたせいでした。そのぶどうが発酵したのですから、アルコール分も糖度も高くなって当然です。

彼は、このワインを「貴腐ワイン」として売り出し、大成功したということです。ということなら、何も貴腐菌に頼らなくても、最初から干しぶどうを使ってワインを作ればよさそうなものです。実はその様なワインもあります。しかしそれは「ストロー・ワイン」と呼ばれ、変わり種ワインとして流通しているそうです。機会があったら試してみてはいかがでしょうか？

シャンパン

グラスに注ぐと細かい泡が立ち昇る「シャンパン」。オシャレで高級感のあるワインは、お祝いの席には欠かせないワインですが、その誕生はちょっとしたミスがきっかけという説があります。

シャンパンの特徴である発泡は、瓶の内部で起こる2次発酵によって生まれます。この瓶内2次発酵は、ある人のミスによって偶然引き起こされたものだと言います。

その人物というのが、ベネディクト派僧院の僧侶ドン・ペリニヨンです。彼こそはシャンパンの製造方法を確立させた人物とされ、高級シャンパン「ドン・ペリニヨン」は彼にちなんで付けられた名前です。その有名人が間違いを犯したというのです。

ある時、彼は貯蔵庫にあったワインを瓶詰めにしました。しかし、瓶詰めしたワインは発酵しきっておらず、瓶の中で再度発酵を始めてしまいました。その結果、発酵に伴って発生した二酸化炭素がワインに溶け込み、発泡性のあるシャンパンができたというのです。

ドン・ペリニヨンの住んだシャンパーニュ地方はフランスでも北部にあります。そのため、寒い地域で早い時期から冬に入ってしまうため、酵母がワインを熟成させる期間を十分に取るのが難しいという問題がありました。熟成が不十分のまま春になると、暖かくなって酵母が活動を再開し、ワインから泡が発生するという問題に昔は頭を抱えていたのでした。それが良い方向に効いたのがシャンパン発生の契機になったのです。

シェリー

「シェリー」は、スペイン南部に位置するアンダルシア州のヘレス周辺でつくられている白ワインです。シェリーの製造方法の特徴として、ワインにアルコールを加えること(酒精強化)に加えて、産膜酵母による熟成が挙げられます。

ワインを醸造する場合、この産膜酵母の発生は失敗を意味します。「ワインが産膜酵母によって汚染された」と見なされるのです。しかし、その「汚染された」状態のまま保存した結果、誕生したのがシェリーでした。

産膜酵母は、樽の中にワインを満タンに詰めず、隙間を空けておくと発生します。ワインの表面に「フロール」と呼ばれる産膜酵母の白い膜が張り、ワインに独特の香りを着けます。しかし、シェリーの場合にはそれが独特の風味として喜ばれるのです。

マデイラ

ポルトガルのマデイラ島でつくられるワインが「マデイラ」です。マデイラをつくるときには、ぶどう果汁の発酵途中に蒸留酒を添加するだけでなく、加熱処理を行います。現在では人工的な装置を使うことも多いですが、加熱処理すると独特の風味が生まれることに気付いたのは、偶然の出来事がきっかけだったといいます。

古くから、イギリスとインドを行き来する船に積まれていたマデイラ島のワインは、現在のように保冷技術が発達していなかったため、赤道付近を航海する際、暑さにより酸化が急激に進んでしまいました。それが逆に、独特な風味を生み出すようになったのです。そのことに着目して、人工的に加熱処理したマデイラがつくられるようになったといいます。

アイスワイン

アイスワインは、マイナス7℃以下で氷結したぶどうを使ってつくられるワインです。その始まりは、霜の災害によるものでした。

１７９４年、予想外の霜に見舞われたドイツのフランコニアでは、収穫されずに枝に残っていたぶどうが凍結してしまい、処分せざるをえなくなりました。しかし、そのぶどうを処分するのがもったいないからとワインを作ってみたところ、甘味が強く香り豊かなワインが出来上がりました。それが今日のアイスワインの始まりと言われています。

●凍結したアイスワイン用のぶどう

ブランデー

清酒、ワインと醸造酒のお話が出たところで、蒸留酒のお話をしましょう。酵母でアルコール発酵をしてできたお酒を一般に醸造酒といいます。日本酒、ワイン、ビールなどが典型です。これらのお酒は一般にアルコール含有量(アルコールの体積%を日本では「度」であらわします)が低いです。日本酒で15度、ビールで10度程度です。それに対して醸造酒を蒸留してアルコール度数を上げたお酒を一般に蒸留酒と言います。ブランデー(45度)、ウイスキー(45度)、ウォッカ(45度以上)、テキーラ(45度以上)、焼酎(20度以上)などがよく知られています。

ブランデー誕生

ブランデーはワインを蒸留して作った蒸留酒です。ブランデーがどのようないきさつで作られるようになったかについては、錬金術時代に遡る伝説があります。

14世紀のフランスにアーノルド・ヴィルスーブという錬金術師がいました。このアーノルドは医者であり、占星術師でもありました。しかしいくら頑張っても、ちっとも金が生成できないので、ある日、白ワインをあおって寝てしまいます。眠る前に、彼は白ワインをフラスコに入れて熱していました。「しまった!」とアーノルドが起きてみると、フラスコには蒸留されたブランデーができていたというのです。

焼酎

日本の蒸留酒と言えば焼酎です。本当は若干違うのですが、一応、焼酎は日本酒を蒸留して作るという話で通っています。

江戸時代には、お金持ちの旦那衆が集まってお座敷遊びにふけっていました、そのようなときに、お座敷の火鉢で焼酎を作って皆にふるまうという遊びがありました。その時に用いられた道具が、遠い昔にアラビアの錬金術師によって作られたという、ランビキ(アランビック)という蒸留器具です。

これは陶器製のツボのような器具ですが、組み立て式になっており、内部は次の解剖図のようになっています。

Cに日本酒を入れて加熱すると沸騰して蒸気が上昇し、冷水を満たした冷却器Aの底にあたって液体となり、Bに溜まります。それをDから出して御猪口で受けて飲むという寸法です。

●ランビキ

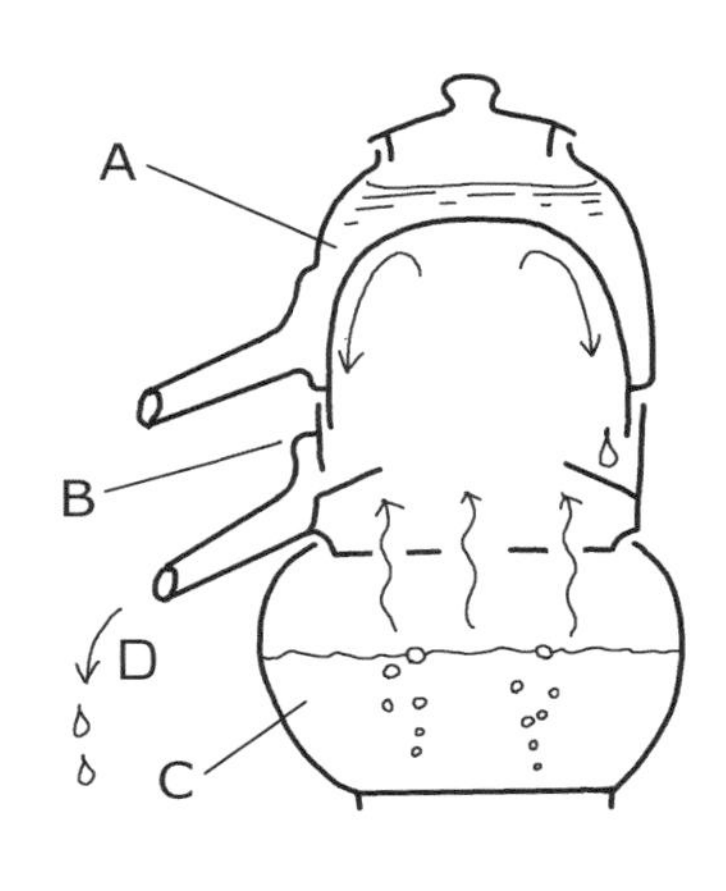

間違って生まれた食品

医療従事者あるいは医療のために役立ちたいと考えた人が、ちょっとした間違いで作ってしまった食品、飲料があります。

コーンフレーク

ウィル・キース・ケロッグの作ったコーンフレークは、決して伝統的な食品ではなく、もともと偶然に生まれた食品です。フレークには、医学博士の兄がいました。彼は、このお兄さんの下で患者さん用の食事担当をしていました。ところがある日、フレークは急用を思い出して、作りかけのパン生地をほったらかして外出してしまいました。慌てて帰ってきましたが、時すでに遅し、見るとパン生地はフレーク状になっていました。このままでは怒られると思い、とにかく焼いてみると、フレークがパリパリになっていました。患者さんに食べてもらうとなかなかの好評ということで、ケロッグ兄弟が二人仲良く立ち上げたのが現在のコーンフレークの製造会社というわけです。

コーラ

コーラの誕生は、薬剤師、化学者であるジョン・ペンバートンの失敗から生まれました。アメリカの禁酒法時代は、悪法といわれる禁酒法によって、お酒の製造、販売は一切禁止という考えられない時代です。ジョンはお酒の代わりになる代用飲料、そしてモルヒネやアヘン中毒の治療にも使える「薬」を開発しようとしました。いろいろ試しましたが、どれもこれも飲み心地はイマイチです。

そこで、出来上がったレシピに冷たい水を入れてみようとなりましたが、やはりいまーつです。そこで、それなら炭酸水を入れたらどうだ?とやってみたところ「うまい!」となりました。

「薬用飲料の開発」と始めた試行錯誤は失敗しましたが、今や世界中で愛飲されている「コーラ」が誕生したのでした。

ふしぎな伝統食品

伝統食品の中には、誰がどうやって作り方を考えたかわからないものもあります。誰かの間違いで偶然出来たのか、もしかしたら、清酒のように誰かが悪意を持って混ぜたのかと思うものすらあります。そのようなものを見てみましょう。

納豆

最近ではその栄養の面から日本中で食べられるようになり、日本民族全体の食品になったような納豆ですが、以前は主に関東以北の食べ物であり、関西以南の方の中には、あの匂いに顔をしかめる方もおられたものです。

東北地方には納豆に関して伝説があります。それは今から1200年ほど前、平安時代初期の武将で、征夷大将軍(せいいたいしょうぐん)にして蝦夷(えみし)(現在の東北地方)を討伐した人物である坂上田村麻呂（さかのうえのたむらまろ）に関するものです。

田村麻呂は進軍していましたが、途中で馬に食べさせる飼葉が無くなりました。大切な馬を飢えさせてはいけないので兵士の食料である大豆を食べさせることにしましたが、馬は生の大豆は食べません。仕方なく、大豆を煮て軟らかくし、飼葉の藁に混ぜて食べさせました。

翌朝、馬に食料を取られてお腹のすいた兵士が馬小屋にくると、豆が残っていました。贅沢な馬だと思いながら豆を見ると、何やら良い匂いがします。ものは試しと思って食べて見たら美味しかったというものです。煮た大豆が藁に着いた納豆菌で発酵して納豆になっていたのです。これが納豆発見のいきさつといわれます。

豆乳・湯葉

大豆は畑の肉と言われるほど豊富なタンパク質を含んでいます。この大豆を煮てつぶし、お湯で溶いて固形分のオカラを除いた液体、豆乳は現在も代替ミルクとして飲用にされています。この豆乳を鍋にいれて加熱すると表面に薄い膜が張ります。この膜を掬い取ったものを湯葉（ゆば）と言います。そのまま醤油を着けて生湯葉として刺身でたべても結構ですし、乾燥して干し湯葉として保存食にしても結構です。京都や日光の特産として、水で戻して煮物に使います。

この豆乳や湯葉は、それほど意外性のある食品ではなく、誰でもその場で考えて作ることが出来そうです。

豆腐

しかし、豆腐というとステージが一段上がるのではないでしょうか？　誰が代替ミルクとして作った豆乳の中に、海から採ってきた苦いニガリをいれるでしょう。せっかく作った大切な豆乳を食べられなくする暴挙です。誰かが悪意を持って行った暴挙に違いありません。

今となっては誰が何の目的で行ったのかはわかりません。しかしとにかく、こうすると豆乳中のタンパク質が固まり、あの豆腐ができるのです。最初にやった人自身が驚いたのではないでしょうか？

豆乳は化学的にはコロイドと言い、水中にタンパク質の粒子が漂っているものです。タンパク質の粒子は重力に負けて落下し、固まって固体になりそうなものですが、周囲に水分子が付着し、その水分子の層が邪魔して粒子が互いにくっつくのを防いでいます。

しかし、ここに水分子をひきつける物質が来ると、粒子表面にくっついていた水分子は、はぎとられ、粒子が固まって沈殿します。これが豆腐のできる原理です。

ということで、粒子から水分子をはぎ取りそうなものを選んで試してみると、何もニガリでなくても、もっと身近な一般的なものでも豆腐ができることがわかりました。

試してみたのは「酢、レモン汁、塩、ゼラチン、片栗粉、粉寒天、葛粉」でした。酢、レモン汁は牛乳からチーズを作る時に使うものです。キッチンに酢やレモンがあることは珍しくもないので、慌て者のお母さんが間違って豆乳に酢を垂らしてしまうことはあり得るでしょう。つまり、お母さんの間違いで豆腐ができたという説です。

塩はニガリ（硫酸マグネシウム）と同じ性質の化学物質です。したがって、最初の豆腐は豆乳に塩を加えたことによってできたのかもしれません。すると、これもお母さんの間違い説を支持しそうです。あるいは研究心旺盛なお母さんが、豆乳を飲みやすくしようと塩を加えているうちに、豆腐が固まり出したのかもしれません。

ゼラチン、片栗粉、粉寒天、葛粉は、元々水に溶けてコロイドになった後、冷やされて水を吸着して固体になる物質です。豆乳を道連れにして固まっても不思議ではありません。このようにして見てみると、豆腐はそれほど意外な食べ物ではないのかもしれません。

高野豆腐

豆腐の加工品に「高野豆腐」というものがあります。高野豆腐の「高野」は仏教寺院で有名な高野山の高野です。高野豆腐は9㎝×6㎝×1㎝ほどの長方形の肌色の食品です。硬くてそのままでは食べられませんが水にもどして煮物にすると煮汁を良く吸い込んで美味しくなります。これは豆腐から作ります。

高野豆腐をインスタントコーヒーのようなフリーズドライ食品と思っておられる方がみえるようですが、高野豆腐が生まれた平安の昔に、フリーズドライなどという現代技術はありません。高野豆腐は、豆腐を高野豆腐より一回り大きい短冊形に切って、寒中の寒い夜中、高野山の山中の雪原に並べておきます。
するとと豆腐の中の水分が凍って氷となります。そのまま放って置くと日中の太陽に暖められて氷が融け、豆腐中に氷の部分が孔となって残ります。そのまま夜になると、残った水分が凍ってまた氷となります。そして翌日融けてまた豆腐に孔が空きます。このような工程を一週間ほど繰り返すと、豆腐は穴だらけになって硬いスポンジ状の高野豆腐になるのです。

どうでしょうか？　この工程は誰かが考えて意図的に行ったものなのでしょうか？誰かが間違って冬の雪の上に豆腐を置き忘れたというような失敗から生じた話なのではないでしょうか？　なにしろ、1000年以上も昔の話です。真偽のほどは霞んでいます。

棒寒天

似たような食品に棒寒天があります。寒天は海藻の寒天を煮て、その煮汁を冷やして固めたもので、「西洋のゼラチンを用いたジェロ」の日本版というような食品です。

家庭で寒天料理を作る時には海藻の寒天ではなく、白くしなびた細い「棒寒天」あるいは直径5㎜ほどの細い角状の糸寒天、粉末状の粉寒天を用います。これを煮溶かして味付けし、放冷すると固まってジェロ状の食品になります。

この棒寒天は、もともとは海藻の寒天を煮溶かした後、精製、放冷して作ったジェロです。それを羊羹状に切って、高野豆腐と同じように雪の上に放置するのです。すると凍結、溶解を繰り返してしわだらけの棒寒天に変形するのです。

同じようなものに、コンニャクを固めた凍みコンニャクがあります。これは穴が大変に小さく、そのため手触りが海綿のように柔らかいので、赤ちゃんの入浴スポンジ、あるいは化粧のための高級スポンジとして利用されるそうです。試してみてはいかがでしょうか?

アイスクリーム

納豆や豆腐のように、民族を代表する食品なのに誰が開発したのかわからない食品がある一方で、誰がいつ開発したのかわかっている食品もあります。それは、アイスキャンディーやアイスクリームなどの冷たいお菓子です。

アイスキャンディー

どなたも子供時代によく食べた思い出のあるアイスキャンディーは、1905年にアメリカ、サンフランシスコの11歳の少年フランク・エパーソンが発明したことになっています。冬の寒いある日、彼はジュースに混ぜ棒を挿したまま外に放置してしまいました。翌朝、思い出してジュースを置いた所に行ってみるとジュースが凍ってキャンディーのようになっていました。これがアイスキャンディーの誕生でした。

アイスキャンディーが日本に上陸したのは大正時代のことです。当時、日本が統治していた台湾にも伝わり、暑い気候の中で人気商品となりました。台湾語では「枝仔冰」（ギーアービン）と呼ばれ、小豆バーなどの懐かしいタイプのものなど、根強い人気がありました。

第二次大戦後、日本がＧＨＱに統治されていた時代には細菌汚染防止のため添加していた抗菌剤ニトロフラゾン（薬品名フラスキン）を宣伝した「フラスキン入り」という旗を立てた自転車で１本５円で売られていたと言います。

アイスクリーム

アイスクリームの歴史は意外に古く、誰が最初に作ったのかは、今となっては辿りようがないようです。歴史上もっとも古いのは紀元前の古代ギリシア・ローマ時代のアレキサンダー大王に達します。彼は奴隷たちに山から氷雪を運ばせ、果汁に糖蜜を加えた冷たい飲み物を兵士たちに与え、士気を高めたと言います。

シャーベットの歴史は十字軍になります。11世紀頃シリア地方へ侵攻した十字軍が、果実で作ったシロップを水で薄めてそこに氷を入れた「シャルバート」の製法をヨーロッパに伝え、イタリアのシチリアで果物やナッツを使って「ソルベット」(シャーベットのイタリア語)が作られるようになりました。

現在のようなアイスクリームは17世紀末にパリで誕生したものと考えられています。フランソワ・ブロコープがホイップクリームを塩と氷で作った寒剤を用いて凍結させた「グラス・ア・シャンティ」を考案しました。この頃から、フランスでは、アイスクリームがようやく庶民の口に入るようになったと言います。

19世紀半ばになるとアイスクリームはアメリカで発達します。すなわち1851年、ボルモアの牛乳商ヤコブ・フッセルがアイスクリームの生産販売を思いつき、自分の牛乳工場をアイスクリーム工場にして製造販売しました。そして1870年代には、アンモニアガス圧縮式の冷凍による大規模工場生産が始まりました。

日本の歴史

日本のアイスは、冬の雪を保存した自然の冷蔵庫「氷室(ひむろ)」に始まります。仁徳天皇の時代に奈良に自然の冷蔵庫「氷室」が作られ、冷菓の歴史が始まったとされています。

平安時代の枕草子や源氏物語に「削り氷」という氷菓が書かれています。これは氷を砕き、つたの蜜「甘葛煎（あまずらせん）」をかけたもので、いわばかき氷のようなものでしょう。

1875年頃には銀座に「風月堂」「資生堂」「函館屋」などが次々にオープンし、アイスクリームは新時代のシンボルとなりました。そして明治16年に建てられた鹿鳴館では、アイスクリームが晩餐会のデザートとして欠かせないものとなりました。

戦後にはアイスクリームは夏のおやつの定番になります。昭和30年代に入ると、現在も販売されているカップアイスやコーンアイスも登場し、より身近なものになりました。また、フリーザー（冷凍）付き家庭用冷蔵庫が普及し始め、販売量も増加して現在に至っています。

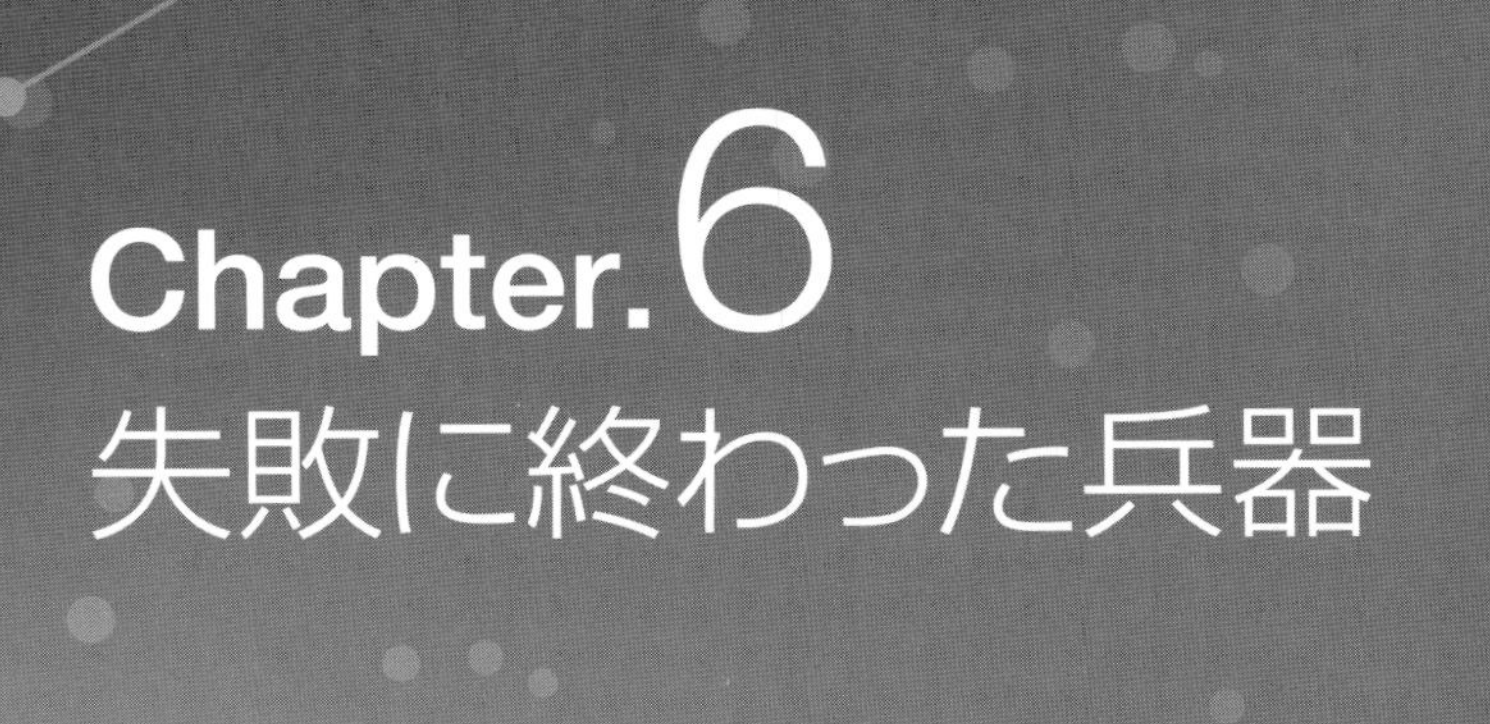

Chapter. 6
失敗に終わった兵器

SECTION 31 ヘルメット銃

戦争は特殊な状態です。普段なら商品を作るには経済感覚が必要とされます。効果は最大に費用は最小にと、いわゆるコストパフォーマンスが求められます。しかし戦争となると、そのような細かいことは無視されます。「何でもいいから敵に勝つ」ことだけが求められます。

敵に負けたら領土は取られ、命はとられて、コストパフォーマンスなど吹っ飛んでしまいます。「一人殺したら殺人だが1万人殺したら英雄だ」という特殊状態です。人の頭脳も特殊状態になります。特殊なアイデア、突拍子もないひらめきが登場してきます。

画期的な銃

銃を撃って相手を倒すには、目線と銃の照準が一致しなければなりません。しかし、手で持った銃を持ち上げて照準を目の高さにして撃鉄を引くには訓練が必要です。もし、目線と銃の照準が自動的に連動する銃があったらどうでしょう。照準は直ぐに定まり、正確で素早い射撃が可能になります。それを実現しようとして開発されたのが、ヘルメットと銃を一体化したヘルメット銃です。

第一次世界大戦中の1916年、アメリカはバーモント州リンドンの発明家アルバート・ベーコン・プラットは画期的な銃を発明しました。兵士が標的を捉えて目で追うだけで銃の照準が定まり、攻撃できる銃です。

原理は至って単純です。頭にかぶるヘルメットは頭・目線の動きに連動します。目線と同じ正面に銃口を置けば、目線の動きに合わせて勝手に照準が定めるというわけです。人は反射的に動く人を目で追います。特に戦場では自己防衛本能も相まって、その感覚は鋭敏になります。ヘルメット銃を使えば、常に直感的に敵を捉えることができることになります。

仕組み

射撃方法はヘルメットに繋がるチューブに息を吹き込むことで発射させます。銃部分は半自動式で、射撃後は薬きょうが自動的に排出され、次の弾が自動的に装填される仕組みになっています。したがって、数発の連続射撃が可能です。

問題は射撃時の反動ですが、ブローバックによる後方へのリコイルショックはありますが、リコイルショックに続いてボルトが戻るスプリングバックによる前方に押し出す力が作動し、射撃時の反動は相殺され、射撃による射手への不快感は少ないとされています。

ヘルメット銃は米国特許を取得しましたが、第一次世界大戦でも、その後も実際に戦場で利用されたという記録はありません。ということは実戦に使えるような代物ではなかったということなのでしょう。

氷山空母

氷山空母とは、手頃な大きさの氷山を、洋上基地あるいは自力航行が可能な巨大航空母艦として使おうというスケールの大きな計画のことです。数々の奇想天外な兵器の「発明」で知られるイギリスのJ・N・パイクが第二次世界大戦中に考案したものの一つとされます。

第二次世界大戦中のイギリスは、潜水艦Uボートなどによって大西洋航路を脅かすナチス・ドイツに対し、輸送支援のための洋上航空基地を必要としていました。また、当時はまだ大西洋横断飛行が達成されていなかったので、大西洋上に人工島を築いて航空路の中継点にしようという構想がかなり流布しており、そこからもヒントを得たものと思われます。

構想

氷山空母はその対策の1つとして構想されました。パイクらによってチャーチル首相に提案された計画は、全長約600m、全幅100m、排水量200万トンの氷山空母を作ろうとするものです。

当初の計画では、カナダから切出した28万個の氷塊から作る計画でした。しかし後には、強度を増すためにパイクリートという水と木材パルプを混合した材料に変えられました。これは通常の氷より強度や融点が高い性質を持ちます。

鉄材で骨組みを作り、装甲にも氷を利用。損傷は海水を凍らせて回復させるという計画でした。パイクリートも時間の経過とともに「溶けてくる」ことは避けられませんが、これに対しては内部に冷凍機室を設置して船体全体を冷却して防止するという構想でした。

発案当初は、自力移動のできない、いわゆる「人工島」の構想でしたが、やがて動力を搭載して単独での航行も可能にする構想も練られました。その場合は、動力源は外部に取り付けられた26台のディーゼル・エレクトリック方式とし、左右の電動モーターを制御することで、時速18㎞で航行する計画でした。

船体の外観の詳細は不明ですが、巨大であることや動力を外部に搭載することの他は一般的な船型となる予定だったようです。

自衛用に40基の4・5インチ対空砲などで武装し、150機の双発爆撃機や戦闘機を搭載する予定でした。その巨体と「損傷しても海水を流しこんで凍らせれば復旧出来る」ことによって、計画では不沈空母となるはずでした。

この構想はハバクック計画と命名され、イギリス、アメリカ、カナダの三カ国による共同開発が行われることになりました。

実験と計画中止

1943年に7000万ドルの予算と8000人の人員を8カ月間にわたって投入し、カナダのアルバータ州のルイス湖やパトリシア湖でパイクリート製の長さ18m、幅9mの試作船を作るなどの実験が行われました。

しかし、実用化には更に莫大なコストがかかると予想されたこと、アイスランドの基地が使用可能になったこと、航空機の航続距離が伸びたこと、Uボートを発見するためのレーダーの性能が向上したことなどの戦局の変化と兵器性能の向上があり、空母の必要性は著しく低下してしまいました。そのため、1943年中に計画は中止されました。試作船は、冷却装置を外されるなどして解体され、残骸はパトリシア湖に投棄されました。1980年代に湖底に沈んでいる状態が確認されています。「水草や兵どもが夢の跡」というところでしょうか?

自走爆弾

自走爆弾は「ゴリアテ」とも呼ばれ、第二次世界大戦でドイツ国防軍が使用した遠隔操作式の軽爆薬運搬車輌のことを言います。動力には電気モータータイプとガソリンエンジンタイプの2種類がありました。

性能

最高で100kgの高性能爆薬を内蔵し、有線で遠隔操作され無限軌道で走行・自爆します。主な使用目的は、地雷原や敵固定陣地・軍用車両の破壊などです。

ゴリアテは、その原型が1939年にフランスで設計・試作されていましたが、ドイツ軍が侵攻して川に沈めて隠匿しました。その後ドイツ軍はこれを引き揚げて調査し、改良を加えて完成したものです。

ゴリアテは３本の電線を結わえたリモートケーブルによって遠隔操作されます。１９４２年から主に突撃工兵部隊によって使用されました。１９４４年のワルシャワ蜂起にも使用されましたが、ポーランド国内軍兵士の銃撃などによって破壊されたり、ケーブルが切断されたりして、行動不能になるものも多く出ました。

成果

ゴリアテは各型合計７５６４台も生産されていますが、兵器として成功作とはされておらず、端的に言えば失敗作のよ

●ゴリアテ

うです。その主な理由としては、次のことなどが挙げられます。

・使い捨ての兵器としては高い単価
・時速９・５㎞という低速な移動速度と越えられる段差が11・４㎝までという低い走行性能
・ケーブルを切断されるとコントロールできなくなる
・小銃などで容易に撃破可能な弱い装甲
・振動や衝撃に弱く、保守点検が大変なコントロール装置

何と言って有線操縦というのが致命的です。ケーブルを切断されると停止してしまうというのでは困ります。しかし、遠距離から操縦できるという安全性などから前線での評判は悪くなかったとされ、敵兵からは恐れられていたと言います。事実、現代の兵器でもリモコン式自走爆雷の開発が進んでいるように、走破性とコントロール性が伴えば強力な兵器となり得ることは確かです。現代戦で使われている自爆式ドローンなどは、この種類の兵器の進化型ということが出来るでしょう。

超巨大レール砲

第二次世界大戦でドイツ陸軍が実用化した世界最大の巨大列車砲は、その口径が80㎝もありました。当時最大の戦艦大和の主砲の口径が46㎝ですから、その大きさがわかろうというものでした。この巨砲は2基作られ、実際に戦線に配備されました。

性能

この巨大な80㎝列車砲は、総重量約1350トン（1500トンの説もあり）、全長47・3m、全高11・6mです。砲は砲身長32・48m、砲口径80㎝のカノン砲であり、射程距離は30～48㎞（砲弾によって異なる）です。砲弾は榴弾が4・8トン、ベトン弾が7・1トンと巨大であるために装填に時間がかかり、発射速度は1時間に3、4発しか発射できませんでした。砲弾の輸送のためには専用の貨物列車が必要で、砲身寿命も短く、100発程度の使用で400トンある砲身の交換が必要になったと言います。

発射の反動は5軸10輪の台車8台で駐退復座装置とあわせて吸収しました。台車は大型の貨車を4両（台車8台）使用し、射撃陣地に敷設される専用線路はレールが4本必要でした。さらに、組み立て時には列車砲自身の走行する4本のレールに加え輸送用の貨車の走る通常の軌道、これらの6本のレールをはさんで1本ずつ敷設される計2基の組み立て用クレーン（吊り上げ容量10トン）の走行するレールの合計8本のレールが必要でした。

砲の移動には専用のディーゼル機関車2両を使用しましたが、長距離の移動の際には分解して運びました。その巨大さゆえに運用には多大な時間がかかり、実際の砲撃に先立つ整地、レールの敷設、砲の移動、組み立てなどに数週間を必要とします。

そのため、実戦に参加したのは1942年のセヴァストポリ要塞攻囲戦、スターリングラード攻防戦など数回でしかありませんでした。この巨大な列車砲を稼動させるには、砲自体の操作に約1400人、防衛・整備等の支援に4000人以上の兵員と技術者が必要であり、歩兵部隊であれば旅団の規模でした。事実、これらを統括する指揮官は少将が任命されています。

爆破処分

この列車砲は、要塞攻略等その運用に適した戦闘においては圧倒的な破壊力を示しました。当時これに替わりうると考えられていた航空機による爆撃には、航空機自体の脆弱性や全天候行動能力の限界、爆撃の命中精度などの問題がありましたが、列車砲の場合、敵航空機の脅威がなければ確実に敵を制圧できるだけの攻撃を敢行することが可能でした。

しかし、なにしろ極めて使い勝手の悪い兵器であり、またドイツが制空権を失ったため実力を発揮する場面は少なかったです。

この超巨大砲は1945年4月に、連合国軍に獲得されることを避けるために2門とも爆破処分されました。残骸はニュルンベルク近郊でアメリカ軍によって発見・回収されましたが、回収された残骸のその後の行方はわかっていません。

左右非対称型戦闘機

戦争では相手を攻撃するためには手段を選ばないので、普段なら考えつかないような兵器が登場することがあります。左右非対称型の戦闘機もそのようなものの一つでしょう。

左右非対称の機体

ドイツ空軍の試作戦闘機ブロームウントフォスBV141は、実際に飛行した航空機の中で、最も左右非対称の機体として有名です。双ブーム式の機体から片方のブームを取り去り、その分主翼の位置をオフセットさせたような形状をしています。このような特殊な形状は、ドイツ航空省の要求である「良好な視界を持つ単発三座偵察機」を実現するためのものでした。

先行する非対称機としては、第一次世界大戦中に、やはりドイツで試作されたゴータG・Ⅳがあります。これは複葉機ながらBV141と似たデザインですが、ゴータG・Ⅳの場合は2機のエンジンを備える双発機でした。

BV141の初飛行は1938年2月25日に行われ、1940年までに、試作機を含めて合計8機が作成されました。非対称の形態にもかかわらず、安定性、操縦性には大きな問題はなかったとされます。

未完成

結局は大規模な量産は行われませんでした。エンジンの信頼性が低く、オーバーヒートが頻発したことが原因とも言われます。

設計者はBV141が不採用に終わった後も、ドイツ

●BV141

空軍に対して多種多彩な非対称機を提案しています。しかし、それらの機体はどれも飛行することなく終戦を迎えています。また、このＢＶ１４１の形状のまま爆撃機とした設計案もありましたが、こちらは実機が一機も完成せず、計画だけで終わっています。

レーザー砲

これは失敗例ではなく、現在実行中の最先端兵器の例です。一般にレーザー砲というのはレーザー光線を用いて敵を攻撃する兵器のことで、「ＴＨＥＬ」と言います。移動可能なバージョンは「ＭＴＨＥＬ」と呼ばれます。

本格的な開発

ＴＨＥＬの本格的な開発は、１９９６年にアメリカとイスラエルの協定により開始されました。ＴＨＥＬの目標は、次のものです。

❶短距離から中距離にかけての接近戦用の兵器
❷１迎撃辺りのコストが約３０００ＵＳドルと低い
❸５㎞の範囲では１００％に近い迎撃率となること

ＴＨＥＬは１９９８年に発射試験を行い、初期作戦能力の獲得は１９９９年と計画されていました。しかし、移動型のＭＴＨＥＬのため再設計を行い、かなりの遅れが発生してしまいました。最初の固定式のＴＨＥＬはかなりの重量、サイズ、電力の制限があり、現代の流動的な戦闘には適していませんでした。それに対してＭＴＨＥＬの目標は大きなセミトレーラー３台分のサイズで移動できることです。

使用されるレーザーはフッ化重水素レーザーによる波長３・８㎛の中赤外線域化学レーザーであるため、大気圏内での減衰が少なくなっています。

●THEL

２０００年から２００１年にかけて、ＴＨＥＬは28発のロケット弾と、５発の砲弾の撃墜に成功しています。また、ＭＴＨＥＬもテストを成功裏に完了しました。２００４年に行われたテストでは、複数の迫撃砲弾の撃墜にも成功しています。このテストでは実際の迫撃砲による攻撃を想定し、単体の迫撃砲による射撃と、一斉射撃の両方が試験されました。いずれの場合にも、目標はＴＨＥＬにより迎撃、破壊されています。

２０１０年にイギリスで開催された国際航空ショーでは、軍艦に設置された米レイセオン社レーザー兵器が、レーダーシステムによる誘導の下、約３・２㎞先を時速４８０㎞で飛行する無人航空機４機を32キロワットという高エネルギーレーザー兵器により破壊することに成功しました。無人航空機は数秒で焼き払われたといいます。無人航空機以外に、小型艦船・迫撃砲弾・ロケット弾などへの攻撃・迎撃にも使用でき、２０１６年に実戦配備される見通しです。

これまでは、大気中での減衰のため、レーザー光線によるエネルギーの遠距離伝達は極めて困難であり、まだまだ兵器としての実用化には程遠いものと考えられてきました。しかし２０１４年の技術情報によれば、ポーランドで遠距離到達も可能な極めて高出力のレーザー衝撃波を生成することを可能にする技術が開発されたといいます。

２０１８年には、小型のオフロードビークル車に搭載されたレイセオン社の小型レーザーにより、ドローンをロックオンして撃墜できるレーザー兵器システムが公開されました。

いよいよ映画の世界のような光線の飛び交う戦争が実現するのかもしれません。しかし、兵器が進歩するのは決して喜ばしいことではありません。世界はこれだけゲームに満ち溢れています。ゲームで使う兵器は実戦兵器と同じ水準まで高くなっています。戦争も実戦ではなく、ゲームによる架空戦争で決着を着ける世の中にならないものでしょうか。

動物兵器

戦争は国家の非常時です。猫の手であれ何であれ、使えるものは何を使っても良いように思いますが、現代戦争ではそうではありません。

化学兵器、生物兵器の使用禁止は1972年国連総会で採択され、ほとんどの国が批准しています。また、核兵器も保有国の間で、自国が先には使用しないという暗黙の了解があります。

逆に言えば、この化学・生物・核の三種を除けば、後はなんでも勝手に使用できるということです。また、生物兵器とは、細菌、ウイルスなどの病原菌を指します。まして第一次世界大戦以前の戦争では、禁じ手は実際上ありませんでした。そのため、馬でも象でも各種の動物は戦争で使い放題に使われました。

大型動物

❶馬

戦場で馬が使われることは言うまでもありません。牛も木曽義仲が角に松明を着けて敵陣に放った例があります。中国でも角に刀、尻尾に松明を着けて敵を攻撃させた故事があります。

❷象

インドではアジア象、地中海世界ではアフリカ象が調教され戦場に投入されました。家畜化、機動力においては圧倒的に馬に劣りますが、その巨体による突進は訓練が不十分な敵勢を瓦解させるのに十分でした。しかし、その巨体ゆえに搭乗者もろとも標的になりやすく、火器に弱いなど、戦場での弱点がありました。そのため、やがて戦場から姿を消すこととなりました。

中型・小型哺乳類

❶犬

犬は学習能力が高く嗅覚に優れていることから索敵、行方不明者や地雷の捜索、追跡など、多岐にわたって軍用犬として使用されます。海上自衛隊・航空自衛隊の警備犬(歩哨犬)は、2曹ないし3曹の階級を持っています。旧ソビエト連邦が独ソ戦においてドイツ軍の戦闘車両を破壊するために、信管を取り付けた爆薬を背負わせた犬を使ったケースもあります。

稼動させたドイツ軍の車両の下に餌を置き、条件反射でそれを覚えた犬を飢えさせた状態で戦場に投入し、犬自らが地雷となるものでしたが、ドイツ軍の車両だけでなく自軍の車両に向かう犬が多数出るなど、敵軍だけでなく自軍にも被害が出ることから運用が困難となりました。

❷豚

古代ローマでは、戦闘時に敵が使う象の対処に困っていました。そこで考えた対抗策が、豚の背中に油を塗り火を点けて敵に放つというものです。その火勢と絶叫をあげ走り回る豚によって象を混乱させる戦術です。

❸ネズミ

現在のアメリカ軍において研究中の兵器で、既に研究室では成功している技術です。脳にチップを埋め込みラジコンのコントローラーで操作します。背中にカメラを載せて、主に災害時の瓦礫の下敷きになった被災者救出のために利用するとされています。また、第二次世界大戦中に英国の諜報機関が、ネズミの死骸にプラスチック爆弾を装填してドイツ軍のボイラー室に放置し、ドイツ兵が始末しようと炉の中に放り込むことを企図した兵器（爆薬ラット）を製作したことがあるといいます。

❹コウモリ

第二次世界大戦時、アメリカ軍は日本を空襲する方法の一つとしてコウモリに小型のナパーム弾を括り付けたコウモリ爆弾のテストを行いました。コウモリを、夜明け前を狙って日本上空で放ち、日光を避ける習性のために木造の多い日本の家屋の屋根裏にとまったところで爆発させるという計画でした。結果は一定の評価が得られたものの実戦配備に時間がかかるためマンハッタン計画が優先され中止になったといいます。

鳥類

❶鳩

鳩の利用とは伝書鳩による通信手段です。現代のような無線技術を駆使した通信技術のない時代では、帰巣本能に優れた鳩が最速の通信手段でした。通信用の鳩は無線機器故障の際の代替手段として第二次世界大戦時でも使用されています。

❷鷹

日露戦争の旅順攻囲戦において、要塞守備軍が伝書鳩を使用して外部と通信しているのを阻止するため、鷹狩り用の鷹を使って鳩を襲わせる作戦が検討されました。しかし、訓練が要塞陥落に間に合わず実行されませんでした。第二次世界大戦中には、イギリス軍が伝書鳩を多用していたため、ドイツ国防軍が実際に鷹に伝書鳩を襲わせています。

また現代では、イギリス海軍がデヴォンポート海軍基地などで海鳥を追い払うために鷹匠に業務委託しているといいます。

❸ ニワトリ

冷戦時代、イギリスが西ドイツ領内に核地雷の配備を計画したことがあると言います。その際、地下に埋めてから起爆させるまでの数日間に電子部品が冷えて故障するのを防ぐため、ニワトリを餌と一緒に地雷の中に閉じ込め、その体温で電子部品を温めようとしました、核地雷の配備自体が中止されたために実用化はされなかったそうです。

海獣

❶ イルカ

イルカは高い知能と学習能力を持ち長距離を高速で泳ぐことが可能で、水族館で飼育・調教のノウハウが蓄積されています。軍事用の用途は機雷探知など水中での哨戒活動です。

❷アシカ

アシカはイルカほどの速度はありませんが、より小型で甲板まで自力で上がることが出来るため、運搬や装備の変更が容易というメリットがあります。

ペット

❶猫

イギリス海軍ではネズミを捕るための猫を軍艦に乗船させています。イギリス軍のサイモンは猫としては唯一の従軍記章とディッキンメダルを受賞しました。ドイツ海軍の戦艦ビスマルクで飼われていた雄猫も知られています。

❷熊

ポーランド陸軍では、熊に正式に軍籍を与えて兵士としていた事例があります。このオス熊は実際に兵士と一緒に弾薬を運んだといいます。

❸ペンギン

ノルウェー陸軍のマスコットとして、エジンバラ動物園のキングペンギンには名誉准将の階級と騎士号が与えられています。

❹ヤギ

イギリス陸軍のある連隊では、ヤギが伍長待遇でマスコットとなっています。スペイン外人部隊においても、マスコットのヤギが式典やパレードに参加しています。

自白剤

自白剤は諜報機関や警察などの捜査機関等が使うとされる薬物です。この薬剤を注射、あるいは服用させられるとあらゆる秘密を自白し、また説によっては自白剤を注射された人物は「廃人」状態または死に至るとされます。

自白剤の開発

自白剤にはＬＳＤやチオペンタール、あるいはナチス・ドイツが開発したとされる「真実の血清」といった物質が使われるといいます。「真実の血清」はベラドンナという植物が含む毒物アトロピンを含み、中枢抑制作用をもつといいます。またアルコールやコーヒーも自白剤として用いられるといいます。

自白剤の開発は第一次世界大戦の頃から始まり、冷戦時代には多くの研究がされました。しかし、現在の自白剤には大脳上皮を麻痺させる以上の働きは無いとされています。

自白剤は「自白を強要するため」の一手法として投与されます。通常、自白を強要するための手法としては、不眠状態、絶食状態、拷問などの方法があります。これは「嘘をつくためには意識が判然としている必要があり、疲労状態や脳の機能が低下した状態では正常な判断が出来ず黙秘することが困難になる」との論理からです。

同様に「自白剤の投与により朦朧とした状態に置かれた人物は、質問者に抗することが出来なくなり、機械的に質問者の問いに答えるだけとなる」と考えられています。また、自白剤のみでなくいくつかの手法を組み合わせることも多いです。

ただし、朦朧とした状態での自白はそれゆえに信憑性は低くなり、また細部については記憶違いや、投薬された人物の主観的妄想が含まれる場合もあります。そのため、緊急にして切迫している場合以外は、自白剤は最終手段か、もしくはまったく使わないことが多いといいます。

索引

ま行

や行

ら行

わ行

な行

は行

■著者紹介

齋藤（さいとう）　勝裕（かつひろ）

名古屋工業大学名誉教授、愛知学院大学客員教授。大学に入学以来50年、化学一筋できた超まじめ人間。専門は有機化学から物理化学にわたり、研究テーマは「有機不安定中間体」、「環状付加反応」、「有機光化学」、「有機金属化合物」、「有機電気化学」、「超分子化学」、「有機超伝導体」、「有機半導体」、「有機EL」、「有機色素増感太陽電池」と、気は多い。執筆暦はここ十数年と日は浅いが、出版点数は150冊以上と月刊誌状態である。量子化学から生命化学まで、化学の全領域にわたる。著書に、「SUPERサイエンス 知られざる温泉の秘密」「SUPERサイエンス 量子化学の世界」「SUPERサイエンス 日本刀の驚くべき技術」「SUPERサイエンス ニセ科学の栄光と挫折」「SUPERサイエンス セラミックス驚異の世界」「SUPERサイエンス 鮮度を保つ漁業の科学」「SUPERサイエンス 人類を脅かす新型コロナウイルス」「SUPERサイエンス 身近に潜む食卓の危険物」「SUPERサイエンス 人類を救う農業の科学」「SUPERサイエンス 貴金属の知られざる科学」「SUPERサイエンス 知られざる金属の不思議」「SUPERサイエンス レアメタル・レアアースの驚くべき能力」「SUPERサイエンス 世界を変える電池の科学」「SUPERサイエンス 意外と知らないお酒の科学」「SUPERサイエンス プラスチック知られざる世界」「SUPERサイエンス 人類が手に入れた地球のエネルギー」「SUPERサイエンス 分子集合体の科学」「SUPERサイエンス 分子マシン驚異の世界」「SUPERサイエンス 火災と消防の科学」「SUPERサイエンス 戦争と平和のテクノロジー」「SUPERサイエンス 「毒」と「薬」の不思議な関係」「SUPERサイエンス 身近に潜む危ない化学反応」「SUPERサイエンス 爆発の仕組みを化学する」「SUPERサイエンス 脳を惑わす薬物とくすり」「サイエンスミステリー 亜澄錬太郎の事件簿1　創られたデータ」「サイエンスミステリー 亜澄錬太郎の事件簿2　殺意の卒業旅行」「サイエンスミステリー 亜澄錬太郎の事件簿3　忘れ得ぬ想い」「サイエンスミステリー 亜澄錬太郎の事件簿4　美貌の行方」「サイエンスミステリー 亜澄錬太郎の事件簿5［新潟編］　撤退の代償」「サイエンスミステリー 亜澄錬太郎の事件簿6［東海編］　捏造の連鎖」「サイエンスミステリー 亜澄錬太郎の事件簿7［東北編］ 呪縛の俳句」「サイエンスミステリー 亜澄錬太郎の事件簿8［九州編］ 偽りの才媛」（C&R研究所）がある。

編集担当：西方洋一 ／ カバーデザイン：秋田勘助（オフィス・エドモント）
イラスト：©pikepicture - stock.foto

SUPERサイエンス 大失敗から生まれたすごい科学

2022年11月1日　　初版発行

著　者　齋藤勝裕

発行者　池田武人

発行所　株式会社　シーアンドアール研究所
新潟県新潟市北区西名目所4083-6（〒950-3122）
電話　025-259-4293　FAX　025-258-2801

印刷所　株式会社　ルナテック

ISBN978-4-86354-397-3 C0043